DEL AMOR AL ODIO

Daphne Clair

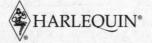
HARLEQUIN®

S0-ATZ-030

Editado por HARLEQUIN IBÉRICA, S.A.
Hermosilla, 21
28001 Madrid

© 2003 Daphne Clair de Jong. Todos los derechos reservados.
DEL AMOR AL ODIO, Nº 1427 - 30.7.03
Título original: Claiming His Bride
Publicada originalmente por Mills & Boon, Ltd., Londres.

Todos los derechos están reservados incluidos los de reproducción,
total o parcial. Esta edición ha sido publicada con permiso de
Harlequin Enterprises II BV.
Todos los personajes de este libro son ficticios. Cualquier parecido
con alguna persona, viva o muerta, es pura coincidencia.
® Harlequin, logotipo Harlequin y Bianca son marcas registradas
por Harlequin Books S.A.
® y ™ son marcas registradas por Harlequin Enterprises Limited y
sus filiales, utilizadas con licencia. Las marcas que lleven ® están
registradas en la Oficina Española de Patentes y Marcas y en otros
países.

I.S.B.N.: 84-671-0862-2
Depósito legal: B-24357-2003
Editor responsable: M. T. Villar
Diseño cubierta: María J. Velasco Juez
Composición: M.T., S.L.
Avda. Filipinas, 48. 28003 Madrid
Fotomecánica: PREIMPRESIÓN 2000
c/. Matilde Hernández, 34. 28019 Madrid
Impresión y encuadernación: LITOGRAFÍA ROSÉS, S.A.
c/. Energía, 11. 08850 Gavá (Barcelona)
Fecha impresion para Argentina:1.11.04
Distribuidor exclusivo para España: LOGISTA
Distribuidores para Argentina: interior, BERTRAN, S.A.C. Vélez
Sársfield, 1950. Cap. Fed./ Buenos Aires y Gran Buenos Aires,
VACCARO SÁNCHEZ y Cía, S.A.
Distribuidor para Chile: DISTRIBUIDORA ALFA, S.A.

Capítulo 1

SORREL tendría que haber supuesto que podría encontrarse con Blaize Tarnower en la boda de su prima. Inconscientemente, había esperado que los padres de Elena no lo hubieran invitado, o que él hubiera tenido el detalle de declinar su asistencia.

Pero tenía que reconocer que, probablemente, Blaize no había pensado en la posibilidad de volver a verla en esa ocasión, ya que ella llevaba más de cuatro años lejos de Nueva Zelanda.

No lo había visto durante la ceremonia, pero mientras la pareja recién casada se hacía las fotos de recuerdo delante del templo, ella se dirigió hacia el coche de sus padres, y allí estaba él, alto, moreno y varonil, plantado en mitad del camino.

No era precisamente guapo, pero sí tenía una apariencia impresionante gracias a su altura y corpulencia, y a un rostro marcado por unos pómulos prominentes, una nariz griega y unos labios generosos y perfectamente delineados.

Sorrel lo miró, al tiempo que él la observaba desapasionadamente con sus ojos de color gris acerado. La magnífica mujer rubia que llevaba colgada del brazo lo interrogó con la mirada, mostrando unos enormes y brillantes ojos azules que sintonizaban perfectamente con la pamela de ala ancha y con el vestido de encaje del mismo color que llevaba.

–Hola, Sorrel –dijo Blaize con tono pausado y casi aburrido–. Parece que al final has conseguido asistir a una boda.

Ella no reaccionó inmediatamente, desconcertada por el mensaje subliminal del comentario.

–¿Sorrel? –preguntó la rubia–. ¡Qué nombre tan curioso!

–Es el nombre de una planta –repuso la aludida mecánicamente, acostumbrada a tener que dar explicaciones, mientras sus espléndidos ojos de color verde jade mantenían contacto visual con los de Blaize.

–Es una planta de sabor amargo –comentó él burlonamente–, aunque las flores son preciosas –añadió, antes de recuperar súbitamente las buenas maneras que había aprendido en el mejor colegio de Wellington–. Cherie, te presento a Sorrel Kenyon. Sorrel, esta es Cherie Watson.

Durante un instante, Sorrel temió que las presentaciones se estuvieran haciendo a la manera francesa, con besos en las mejillas; pero no fue así. Cherie tendió una mano lánguidamente, que se unió a la de Sorrel en un ligero apretón.

–Encantada de conocerte –dijo Cherie.

Sorrel sonrió, haciendo gala a su vez de una exquisita educación.

–Lo mismo digo –mintió deliberadamente.

Blaize la miró divertido, curvando la comisura

de los labios con una mueca de abierta incredulidad.

–Debes de ser la hija del socio de Blaize –intervino Cherie de pronto, como si acabara de hacer un gran descubrimiento.

–Sí –contestó él–. Sorrel es la hija de Ian –corroboró mientras volvía a estudiarla de arriba abajo, desde la espesa melena de rizos color caoba, pasando por el vestido de seda de color ámbar que se ajustaba a su cuerpo como un guante, hasta posar los ojos en las sandalias de tacón alto que Sorrel apenas utilizaba, ya que los hombres con los que salía últimamente solían ser menos altos que Blaize–. Tienes… muy buen aspecto –añadió con un mínimo destello en la mirada, una especie de leve rescoldo de deseo que fue suficiente para detener el corazón de Sorrel en seco.

Después de esa breve paralización de sus constantes vitales, ella sintió cómo su torrente sanguíneo reaccionaba con energía, sonrojándola hasta la raíz del cabello y provocándole un ligero temblor en brazos y piernas. Tomó una bocanada de aire con disimulo para recobrar la compostura, confiando en que el maquillaje no dejara traslucir su turbación.

–Tú también pareces estar en plena forma –repuso educadamente, sin poder evitar hacer un estudio de los pequeños cambios que había sufrido ese hombre: los pómulos ligeramente más delgados, la complexión tan atlética como siempre y algo más musculosa, el cabello negro más corto y la boca más severa. Aunque ese último detalle, junto a la evidente frialdad de sus ojos, podía fácilmente achacarse a la sorpresa por su inesperada presencia.

Él no la había perdonado aún; eso parecía fuera de duda. Con una nueva sacudida, Sorrel aceptó que se merecía el trato burlón y distante que estaba recibiendo. No se podía esperar que un hombre que había sido abandonado ante el altar fuera capaz de mirarla de forma cariñosa y comprensiva, aunque hubieran pasado cuatro años desde entonces. Sus propios padres aún seguían recordándole con tono irritado la terrible vergüenza que les había hecho pasar a todos.

–He oído que vives en el extranjero... en Australia, ¿no? –inquirió Cherie, con un tono de voz ligeramente crispado.

«No tienes de qué preocuparte», pensó Sorrel. En el remoto caso de que Blaize la hubiera amado en algún momento de su vida, ella había aniquilado para siempre la posibilidad de que ambos pudieran compartir un futuro en común.

–Sí, vivo en Australia, pero he regresado a casa porque Elena es mi prima favorita y deseaba asistir a su boda.

–Entonces, ¿solo estás de visita? –insistió Cherie.

Sorrel dudó. El trabajo que tenía en Melbourne era muy interesante y allí se encontraba a gusto, pero nunca había podido deshacerse del todo de la nostalgia por la tierra donde había nacido. Amaba Nueva Zelanda y Wellington le parecía la ciudad más bonita del mundo. Antes de aterrizar, el avión había girado sobre el mar, mostrando una vista impresionante del escarpado Estrecho de Marlborough, rebosante de vegetación arbustiva que llegaba hasta las orillas saladas. Y ella se había puesto a llorar de emoción, con la mente llena de recuerdos. Los paseos por el bosque sin temor a las culebras, las playas adonde casi nunca se acercaban los tiburones, los niños descalzos corriendo por la arena, las empinadas y angostas calles llenas de casas colgadas de forma inverosímil sobre las laderas, arracimadas en caóticas hileras de equilibrio delirante, con vistas sobre las estelas blancas de los barcos que iban a atracar en el puerto.

–Puede que me quede –dijo Sorrel de forma totalmente impulsiva–, si encuentro trabajo –añadió; sorprendida por sus propias palabras y con la mirada en lontananza. ¿Cuándo había empezado a considerar esa posibilidad? Posiblemente durante el vuelo a Wellington, se dijo.

–¿Qué tipo de trabajo estás buscando? –preguntó Blaize, obligándola a mirarlo de nuevo.

–Aún no lo sé; solo llevo dos días en casa –el tiempo justo para saludar a Elena antes del día del festejo, participar en los últimos preparativos y asegurarse de que su prima era consciente de todo lo que implicaba el hecho de contraer matrimonio.

–Tus padres me comentaron que estabas trabajando en unos grandes almacenes.

–Estoy a cargo de la sección de moda femenina.

–Me dijeron que era un trabajo de mucha responsabilidad y muy bien pagado.

–Eso es verdad, pero si quiero ascender más

tendría que trasladarme al departamento de administración, y yo prefiero el trabajo de cara al cliente –explicó Sorrel, contenta de haber superado el primer momento de tensión y de estar enfrascada en una conversación completamente normal. Cambiando de tema, preguntó–: ¿Cómo están tus padres?

–Muy bien –repuso Blaize–. Mi padre está disfrutando de la jubilación como si fuera un niño –Paul Tarnower había abandonado la vida laboral hacía un par de años, después de sufrir un aparatoso infarto, cediendo a su hijo los mandos de su parte en la empresa de fabricación de pequeños electrodomésticos que compartía con el padre de Sorrel–. Ahora están haciendo un crucero por Europa.

–Lo sé. Mi madre está verde de envidia –bromeó ella.

Cherie tiró del brazo de Blaize.

–Cariño, ¿no crees que deberíamos ir a dar la enhorabuena a la feliz pareja?

Los recién casados habían terminado con la sesión de fotos y empezaban a internarse entre la multitud, recibiendo felicitaciones a mansalva.

–Supongo que sí –contestó Blaize, despidiéndose de Sorrel con una ligera inclinación de cabeza–. ¿Nos disculpas?

Mientras Blaize y Cherie se alejaban, Sorrel se dio cuenta de que un montón de miradas no la perdían de vista. Muchos de los convidados a esa ceremonia habían sido también convocados a su malograda boda, en esa misma iglesia. Ya había saludado a varios, soportando sus miradas de velada curiosidad y reproche, pero en aquel momento no se sentía con fuerzas para internarse de nuevo entre la multitud. Elena tendría que esperar a que ambas coincidieran en un momento de mayor intimidad, quizá durante el banquete, para que ella le deseara un futuro muy feliz.

Sorrel estaba agradecida porque Elena hubiera entendido que ella prefiriera no aceptar su invitación para ser una de las damas de honor. La situación podía haber resultado un poco irónica y, posiblemente, incluso grotesca.

De todas las personas a las que había dejado plantadas en la iglesia hacía cuatro años por causa de su repentino cambio de opinión, solo Elena, vestida con el traje de dama de honor de encaje color lavanda que habían elegido juntas, había tratado de comprenderla y apoyarla, a pesar de tener solo diecisiete años. Por eso, cuando un par de meses atrás había recibido una invitación de boda con una nota manuscrita suplicándole que asistiera, no había podido negarse.

Retomó su camino hacia el coche y se unió a sus padres. Se acomodó en el asiento trasero con gran alivio, dispuesta a relajarse durante el breve trayecto hasta el salón de banquetes del mejor hotel de la ciudad.

—Una boda preciosa —comentó su madre mientras se retocaba el maquillaje en el espejo del quitasol del coche. Luego, se ajustó la elegante pamela, especialmente confeccionada para combinar a la perfección con el igualmente vistoso vestido de fiesta de color aguamarina–. Menos mal que todo ha salido bien, aunque eso era de esperar porque Elena siempre ha sido una chica muy sensata.

Con un gesto de dolor, Sorrel hizo un esfuerzo supremo para no dejar que esas palabras hirieran sus sentimientos, pero el reproche implícito de su madre no dejaba lugar a dudas. Incluso su padre había murmurado entre dientes la frase: «Espero que esta vez no haya ningún problema», durante el desayuno.

Deseaba preguntar cuánto tiempo llevaba Blaize con Cherie Watson y qué tipo de relación tenían. Practicó mentalmente la pregunta para que sonara casual y casi desinteresada, pero, segura de la inevitable reprimenda que acompañaría a la respuesta, decidió callar. Ya hacía cuatro años que había perdido por completo el derecho a interesarse por la vida privada de Blaize. Dejó que su mirada recorriera indolentemente las vistas del puerto mientras el coche se deslizaba por la tortuosa carretera de la bahía. Wellington era conocida por los fuertes vientos procedentes del mar que azotaban constantemente sus edificios, pero ese día brillaba el sol y todo estaba en calma.

Cuando llegaron al salón de banquetes, Sorrel se tranquilizó considerablemente al comprobar que sus padres y ella tenían asientos reservados en una mesa que se encontraba a una distancia prudencial de la que ocupaban Blaize y Cherie, junto a otros amigos de la pareja, aunque desde donde estaba podía verlo de espaldas, dicharachero y dirigiendo muestras de cariño a su acompañante.

Cuando empezaron los discursos, Blaize pasó un brazo por detrás de la silla que ocupaba Cherie y le acarició un hombro, mientras con la otra mano jugueteaba con una copa de vino tinto.

Sorrel deseó encontrarse a mil kilómetros de allí, pero se convenció de que tenía que aguantar hasta el final para que su prima Elena no se disgustara. Tenía su orgullo y sabía que, con esfuerzo, podría aguantar la fiesta durante un periodo de tiempo razonable. No pensaba escurrir el bulto sin despedirse de nadie como si se avergonzara de que la gente la viera.

Miró a su madre y se percató de que apenas había probado bocado. Era cierto que siempre había tenido que vigilarse el peso porque tenía una cierta tendencia a ganar kilos, pero dos días antes, nada más pasar el control aduanero del aeropuerto, Sorrel la había encontrado más delgada que nunca. ¿Estaría volviéndose anoréxica?

El hombre que se sentaba al lado de Sorrel era un amigo del novio. Alguien se había ocupado de colocarlo junto a ella para que pudieran hacerse mutua compañía, puesto que él también estaba solo. Se trataba de un gesto muy considerado por parte de la propia Elena o de su madre, aunque resultaba ligeramente humillante, al dejar bien claro delante de todos que Sorrel carecía de pareja.

Era un hombre agradable, fornido y bien parecido, que había demostrado sus dotes de gran conversador durante la cena, aunque solo habían hablado de naderías. Una vez que la orquesta empezó a tocar el preceptivo vals, varias parejas siguieron la iniciativa de los novios y se unieron a ellos en la pista de baile. Su compañero de mesa le pidió bailar.

Salieron a la pista y él resultó ser un buen bailarín con mucho estilo. Acabado el lento vals, la orquesta atacó piezas más modernas llenas de ritmo, y su acompañante inició una serie de movimientos atrevidos que divirtieron a Sorrel enormemente. Vio a Cherie y a Blaize girar abrazados por la pista, con la vista de ella posada sobre el rostro de él en un gesto de inequívoca adoración. Ambos parecían estar completamente enamorados.

Volvió a concentrarse en su compañero con una sonrisa y se acopló a su exagerado ritmo, disfrutando al máximo. La gente empezó a darse cuenta de que formaban la mejor pareja de baile de toda la fiesta, y les hicieron sitio en el centro de la pista para que pudieran lucirse delante de los demás, que les obsequiaron con miradas de admiración.

Sorrel tropezó brevemente con una mirada de Blaize que parecía insinuar un reproche. Ella optó por reírse con ganas, mirar con euforia a su compañero e iniciar una pequeña improvisación por su cuenta, levantando los brazos y ejecutando una graciosa pirueta, meneando el trasero de espaldas a él, mientras le lanzaba una provocativa mirada por encima del hombro.

Él rio, la agarró con fuerza y la hizo girar varias veces antes de volver a soltarla. La pieza musical terminó y Sorrel se detuvo, sudorosa, para dirigirse de vuelta a la mesa, junto a su acompañante, mientras se apartaba un mechón de cabello del rostro y se lo colocaba detrás de la oreja. La mesa estaba vacía; sus padres se encontraban charlando con los de Elena en la mesa presidencial.

–Ha sido divertido –comentó Sorrel con la respiración aún acelerada.

–Hacemos buena pareja –repuso él con una sonrisa–. ¿Quieres que volvamos a la pista?

–Dame un respiro.

–¿Te gustaría beber algo?

Ella pidió un vino blanco y él se alejó entre la multitud en dirección a la barra. Sorrel jugueteó con una flor de hibisco que adornaba el centro de la mesa junto a un precioso conjunto de ramas verdes. La flor tenía una corola escarlata y en su centro se erguía un orgulloso pistilo amarillo cuajado de estambres naranjas llenos de polen. Dio un par de vueltas a la flor entre el índice y el pulgar, y el mantel blanco de la mesa se cubrió de diminutas semillas anaranjadas.

–¿Te la vas a poner detrás de la oreja?

La voz de Blaize la sobresaltó, sacándola de su ensimismamiento. Él estaba de pie, en su postura habitual, con una mano indolentemente metida en el bolsillo del elegante pantalón cortado a medida. Con la otra mano sostenía una copa de vino tinto medio vacía.

–¿En qué lado? –insistió él ante el silencio sorprendido de ella, con una mirada penetrante y especulativa.

–Nunca me acuerdo de qué significado tienen los lados.

–La flor en el lado derecho quiere decir «estoy comprometida» y la flor en el lado izquierdo quiere decir «estoy disponible», según creo.

–No estoy disponible –repuso ella, dejando caer el hibisco sobre la mesa–. Además, el color carmesí no me sienta bien; se confunde con el color de mi pelo –comentó mohína–. Pero a Cherie si le quedaría bien –añadió, dispuesta a hacer frente a la situación–. ¿En qué lado tendría que ponérsela?

–Tendrías que preguntárselo a ella…, si es que te interesa.

–Simple curiosidad –repuso Sorrel, paseando perezosamente la vista por las mesas, como para demostrar que el súbito interés por los sentimientos de Cherie era pasajero–. Por cierto, ¿dónde está?

–Retocándose el maquillaje en el tocador de señoras –respondió él.

La orquesta afinó los instrumentos e inició una nueva pieza, distrayendo la atención de Sorrel. Blaize la miró directamente a los ojos y de una manera bastante abrupta preguntó:

–¿Te apetece bailar?

–¿Contigo? –inquirió ella, sorprendida.

Él puso una mueca burlona.

–¿Con quién si no? –se interesó echando un vistazo a los alrededores con una nota de aspereza en el tono de voz–. Por si aún no te has dado cuenta, todos los asistentes están pendientes de nuestras reacciones. Sería de gran ayuda que pudiéramos aplacar su curiosidad demostrando que nuestras relaciones son totalmente amistosas. Al fin y al cabo, todos saben que esta es la primera vez que nos vemos desde el malogrado día de nuestra inexistente boda, hace ya cuatro años.

Era posible que él tuviera razón, pensó Sorrel. Si se mostraban cordiales el uno con el otro, la gente pronto dejaría de murmurar.

–Hay una persona que ha ido a buscarme una bebida –objetó.

–¿El gracioso bailarín? –preguntó él con tono desdeñoso–. Estoy seguro de que podrá esperarte durante unos minutos –dijo, dejando la copa sobre la mesa antes de poner a Sorrel en pie, tomándola de ambas manos–. Creo que lo mejor es que nos libremos de las malas lenguas lo antes posible.

Sorrel se resistió instintivamente, pero los brazos de él eran muy fuertes y, sin darse apenas cuenta, se encontró de pie y en camino hacia la pista de baile.

–Bruto –exclamó–. Te aseguro que estoy acostumbrada a que los hombres me traten con mucha más cortesía.

Sorprendentemente, él soltó una risotada mientras la miraba con una expresión felina y entrelazaba una mano con la de ella para adoptar una correcta posición de baile lento. Se movieron al compás de la música.

–Como poco, me debes este baile, Sorrel –le dijo con una dura mirada y una mano firmemente apoyada sobre su cintura.

¿Que le debía qué? ¿La oportunidad de demostrar al mundo entero que no era un hombre con el corazón roto? ¿Que no le importaba que ella hubiera hecho añicos su orgullo?

–¿Tanto te importa lo que piense la gente?

–Puede importarle a la gente que nos quiere, como por ejemplo a tus padres o a los míos. Aunque no me extrañaría nada si me confesaras que los sentimientos ajenos no te importan lo más mínimo.

–Deberías estarme agradecida –le espetó ella enfadada y desafiante . Nuestro matrimonio hubiera sido un tremendo error.

–Doy las gracias al cielo todos los días –dijo él, estrechándola en sus brazos para no perder el compás en un giro.

Ella lo miró furiosa y dispuesta a presentar batalla.

–Sonríe –le pidió él–. Esto es puro teatro; solo pretendemos acallar los cotilleos, recuérdalo.

–No puedo sonreír forzadamente. Además… ¡no quiero que me des órdenes!

Para desesperación y sorpresa de Sorrel, él volvió a soltar una sonora carcajada. No era posible que lo estuviera pasando bien, ¿o sí?

Él la hizo girar un par de veces de forma vertiginosa, mientras la sostenía con fuerza y le acercaba los labios a la sien. Ella se sintió ligeramente aturdida y mareada.

–Relájate –murmuró él–. Es evidente que este no es el lugar adecuado para hacerte lo que estoy pensando hacerte. Estás completamente a salvo.

–¿Qué es lo que te gustaría hacerme? –se interesó ella con un temblor aprensivo mezclado con una extraña excitación que le recorrió toda la espina dorsal.

Él echó la cabeza hacia atrás para tomar una bocanada de aire y luego la inclinó para mirarla a los ojos con una expresión claramente hostil.

–Me gustaría retorcerte tu precioso cuello –soltó tranquilamente, como si el comentario no tuviera la menor importancia.

Sorrel puso los ojos en blanco, atónita, separó los labios y perdió el paso. Él recompuso inmediatamente la postura para obligarla a recuperar el ritmo del baile y ella se dejó llevar ciegamente. La sensación de encontrarse sujeta entre sus brazos le resultaba tan familiar que apenas era soportable… Era imposible no recordar el sufrimiento de haberlo echado de menos de forma tan angustiosa durante todos aquellos meses… años.

–Me imagino que debiste pasar un mal momento –admitió ella con esfuerzo–, pero has tenido cuatro años para recuperarte.

–Por supuesto. Lo he superado totalmente –afirmó él–. No te pensarás que me he pasado todo este tiempo hundido en la desolación, ¿verdad?

Ella no creía que él hubiera sufrido demasiado desde el punto de vista amoroso, aunque estaba claro que su orgullo habría acusado el impacto. Cuatro años antes, la posición social y económica de Blaize ya era bastante boyante. Una vez licenciado, había aportado con entusiasmo ideas nuevas y exitosas a la forma de trabajar en una empresa familiar de reconocido prestigio en el mundo comercial de Nueva Zelanda.

–Supongo que abundarían las mujeres deseosas de hacerte olvidar ese mal trago con su deliciosa compañía…, si es que es cierto que de verdad sufriste un gran disgusto.

Blaize ocultó su mirada.

–Has acertado de pleno –dijo con un tono imparcial–. Con el paso del tiempo, aquello se convirtió en una simple minucia.

–Entonces, ¿por qué te ensañas conmigo? ¿Por qué dices que quieres retorcerme el cuello?

–Era solo una forma de hablar. A ningún hombre le gusta que lo dejen en ridículo.

–No era eso lo que yo pretendía.

–Podrías haber hablado conmigo antes…, si tenías dudas.

–Lo sé. Ya te he dicho que lo siento.

Se lo había escrito en una carta justo después de huir, dejando que sus padres, Elena y Blaize, arreglaran el asunto como mejor pudieran. Una carta a la que él jamás había contestado, aunque ella tampoco había esperado que lo hiciera. Le había pedido que la perdonara, pero tampoco había abrigado demasiadas esperanzas. Sin embargo, nunca se hubiera imaginado que, al cabo de tanto tiempo, él continuara guardándole rencor.

Jamás había pensado en Blaize como en un enemigo, y le dolió darse cuenta de que él parecía estar soportando con la mayor deportividad la mayor tragedia de su vida.

–¿Me odias? –preguntó en voz baja.

–¿Odiarte? –dijo él chasqueando la lengua con menosprecio, dando a entender que ella ni siquiera se merecía eso–. Por supuesto que no –negó sin mucha convicción–. El odio es solo una pérdida de tiempo –comentó, dando a entender que tenía cosas mucho más interesantes en las que pensar.

El dolor que había invadido el corazón de Sorrel se intensificó.

–Además –añadió Blaize–, si decides quedarte vamos a tener que vernos de vez en cuando. Sería terrible que nos odiáramos de tal manera que no pudiéramos soportarlo.

–¡Nunca he dicho que no pudiera soportar verte!

Blaize curvó los labios en una sonrisa sardónica.

–Te limitaste a dejar bien claro que no podrías soportar verme a diario junto a la mesa del desayuno durante el resto de tu vida.

–Sabes que todo fue mucho más complicado que eso.

–No tengo ni la menor idea de lo complicado que fue. O que no fue. Tu carta no era demasiado explícita: «Querido Blaize, lo siento, adiós».

–¡Eso no es justo! ¡Y tampoco es verdad! –Sorrel había pasado horas de verdadera agonía para escribir esa carta.

–Bueno, te concedo que había alguna palabra más, pero en esencia decía lo mismo.

Ella había tenido verdaderas dificultades para analizar y expresar sus emociones, tan confusa como se sentía. Pero, a pesar de haberlo intentado con denuedo, no había sido capaz de acallar el pánico que se había ido adueñando de ella a medida que se acercaba la fecha de la boda, hasta obligarla a tomar la decisión de escapar en el último momento. Había intentado confesar sus dudas a su madre, pero ella le había quitado hierro al asunto, argumentando que todas las parejas sufrían momentos de incertidumbre antes de la boda, que ella misma se había visto afectada por breves episodios de desasosiego y, sin embargo, jamás se había arrepentido de haberse casado con su padre.

–Ese día estarás radiante –había sentenciado.

Pero Sorrel se había despertado llena de ansiedad y solo había podido contenerse hasta las once de la mañana, momento en el que consiguió reunir el coraje suficiente como para anunciar a todos su repentina e inesperada decisión.

Capítulo 2

NO ESTABA preparada para el matrimonio
–dijo Sorrel–. Era demasiado joven.
–Me lo figuro –concedió Blaize, con un
primer síntoma de simpatía–. Tenía que haberme
dado cuenta de lo inmadura que eras.

–Sé que no debería haber esperado hasta el último momento –comentó ella, recordando el trabajo que le había costado tomar una decisión que
iba a incomodar a todo el mundo, especialmente al
propio Blaize y a los padres de ambos.

Su indecisión se debía a que conocía a los Tarnower de toda la vida, y al hecho de que ambas familias habían manifestado abiertamente el deseo
común de que se produjera una boda entre Blaize y
Sorrel desde que ella tenía memoria.

Aunque ateniéndose a la verdad, lo cierto era
que, al ser Blaize seis años mayor que ella, él había
despreciado su compañía durante la infancia, a pesar de que ella lo consideraba una especie de héroe
inmortal y lo seguía al trote por todas partes, para
divertimento de los padres de ambos y enojo de
Blaize. Cuando Sorrel y sus amigas alcanzaron la
edad de empezar a interesarse por los chicos, él había quedado fuera de su círculo por ser demasiado

mayor. Sin embargo, con las primeras manifesta-
ciones de la pubertad, ella había ideado inocentes
fantasías amorosas en las que solo Blaize estaba
presente, siempre junto a ella. Y, después, había
empezado a convertirse en una persona adulta…

–Hemos sido amigos durante tanto tiempo que…
–prosiguió Sorrel– ¿no podríamos…?

–No podemos volver atrás –dijo Blaize–. Ya no
somos niños.

–Como adultos, entonces… ¿no podríamos olvidar el pasado? Si no es por nosotros, al menos
podríamos hacerlo por el bienestar de nuestras familias.

Él echó un vistazo a la pista de baile y maniobró
para colarse entre un grupo de bailarines. Cuando
volvió a mirarla a los ojos, su expresión era ines-
crutable.

–Por supuesto –respondió–. Prometo no ponerte
las manos encima.

Él había asegurado que su amenaza de romperle
el cuello era solo una forma de hablar y ella lo había creído. Pero había un deje de ira contenida en
su tono de voz que la molestaba.

La música cesó y, al cabo de un momento, Blaize
la soltó.

–Gracias –dijo ella.

Él inclinó la cabeza a modo de respuesta y ella
trató de no ver un destello de ironía en ese gesto.

–Te acompañaré hasta tu mesa.

Blaize no volvió a tocarla y, mientras ella tomaba asiento y daba un sorbo a la bebida que su
anterior compañero de baile le había traído, Blaize

intercambió saludos y comentarios con sus padres, que estaban allí de nuevo.

–Sorrel me ha dicho que es posible que se quede en Wellington –comentó como por casualidad–, si encuentra un trabajo de su agrado.

Su madre lanzó a Sorrel una mirada de sorpresa.

–¡No nos habías dicho nada!

–Aún no lo he decidido –repuso ella rápidamente.

–Bueno, yo creo que ya es hora de que vuelvas a casa –afirmó Rhoda.

–¡Desde luego! –intervino Ian–. Llevas mucho tiempo lejos de todos nosotros. ¡Será maravilloso que nuestra pequeña vuelva a casa!

No tenía ningún sentido intentar corregir la idea infantil que su padre tenía sobre ella. Era hija única y supuso que su padre siempre la trataría como a una niña.

–Siento haberme ido de la lengua, Sorrel –dijo Blaize.

–No importa –contestó ella encogiéndose de hombros, aunque se sentía consternada por lo prematuro de la revelación.

Blaize charló unos minutos más con Rhoda e Ian y luego se fue a reunirse con Cherie, que estaba sentada en su mesa con la cabeza vuelta hacia ellos, aunque su campo de visión quedaba parcialmente obstaculizado por un grupo de tres hombres que compartían una broma de pie.

Sorrel miró hacia otro lado.

Los novios estaban de nuevo en la pista de baile, abrazados y mirándose arrobados. Al ver la felicidad pintada en el rostro de su prima Elena, Sorrel no pudo evitar que se le contrajera el estómago mientras sentía algo que solo podía llamarse envidia. Elena era cuatro años menor que ella; en realidad tenía la misma edad que ella había tenido mientras preparaba su boda con Blaize, es decir, veintiún años. ¡Y solo conocía al que ya era su marido desde hacía nueve meses! Sin embargo, parecía estar absolutamente segura de haber tomado una decisión acertada. ¿Cómo sería la sensación de enamorarse de un desconocido y decidir pasar el resto de la vida con él?

Elena, como su madre había dejado bien claro, siempre había sido una chica muy sensata y práctica, incluso precavida. Pero ese día acababa de firmar un compromiso muy arriesgado y Sorrel le deseó que fuera feliz con todo su corazón. Había conocido a su prima desde que era una recién nacida: era una niñita diminuta de expresión solemne. Y, desde ese momento, había tomado la decisión de convertirse en su protectora frente al mundo. Elena era lo más cercano a una hermana que Sorrel había tenido y, aunque también apreciaba mucho a sus dos primos mayores, siempre había existido un vínculo especial entre las dos niñas mientras crecían hasta convertirse en mujeres.

Y, por su parte, suponía que Blaize había sido lo más cercano a un hermano para ella. También era hijo único, aunque sus primos vivían muy cerca y siempre habían estado muy unidos, especialmente durante la adolescencia. No obstante, Blaize y Sorrel habían pasado mucho tiempo juntos el uno en la casa del otro, ya que las familias Kenyon y Tarnower estaban vinculadas por lazos profesionales y amistosos desde hacía más de cien años.

Ian Kenyon y Paul Tarnower, los dos primogénitos, habían heredado la empresa de sus padres y, por encima de todo, deseaban poder transmitírsela a sus hijos. En cuanto Ian se dio cuenta de que no iba a tener un hijo varón, empezaron las especulaciones sobre la posible boda de su hija con el vástago de su socio, para seguir la tradición.

–¿Bailamos otra vez? –propuso el hombre que tenía sentado al lado, sacándola de su trance.

Ella dudó un instante mientras tomaba un sorbo de vino. Echó un vistazo al precioso perfil de Cherie, que miraba a Blaize con ojos de adoración insinuante, mientras él le apretaba ligeramente el hombro con un gesto de intimidad y cariño. Sus rostros estaban a pocos centímetros el uno del otro, y parecían estar a punto de besarse.

Apartando la vista, Sorrel tomó otro sorbo de vino y tosió para no atragantarse.

–De acuerdo –repuso con voz quebrada–. Bailemos.

Pero, por alguna oscura razón, el placer del baile se había esfumado, aunque la fiesta seguía su curso. Sorrel encontró un momento para felicitar a Elena a solas y darle un sentido abrazo de enhorabuena, y luego aguantó la velada hasta que los novios se marcharon. Cuando sus padres propusieron volver a casa, Sorrel aceptó de inmediato con auténtico alivio y se despidió a toda velocidad de su compañero de mesa para no darle la menor oportunidad de que le pidiera una cita.

«Así es la vida», se dijo, una vez a salvo en su habitación, que no había cambiado nada desde que ella se había marchado a Australia. Deseó fervientemente que Elena fuera feliz, pero no pudo evitar sentir el tremendo contraste con su propia soledad. Atenídose a los hechos… ¿qué había conseguido ella en realidad durante esos cuatro años? Independencia, por supuesto, se dijo.

Mientras se desabotonaba la chaqueta del traje, apartó unos vagos pensamientos de lástima y desilusión por sí misma. No necesitaba que hubiera un hombre en su vida para ser feliz.

Al llegar a Melbourne había aceptado el primer trabajo que había encontrado, como dependienta en unos grandes almacenes; pero al cabo de los años había conseguido dirigir su propia sección de ropa femenina, con varias personas a su cargo. Había transformado un departamento orientado a la mujer rica de mediana edad en algo más complejo, que daba cabida a colecciones más llamativas, de buena calidad y con mejores precios, que también atraían a las clientas más jóvenes. El año anterior, sus jefes se habían visto obligados a doblarle el sueldo para competir con una oferta similar de una empresa de la competencia y, sin embargo, ella se había estado sintiendo inquieta, incluso algo aburrida.

Se bajó la cremallera del vestido, se lo quitó y

lo colgó de una percha. Al darse la vuelta, vio su imagen reflejada en el espejo y se dio cuenta de que tenía los ojos brillantes y las mejillas arreboladas.

Tuvo que reconocer que el reencuentro con Blaize le había provocado una descarga de adrenalina. Se sentía más viva y estimulada que en ningún otro momento de los últimos años, pero supuso que la reacción de su cuerpo era producto de la rabia que había sentido al escuchar sus sarcásticos comentarios.

No podía objetar nada al hecho de que él le hubiera echado toda la culpa por el desastre, pero... si la había amado realmente..., ¿no tendría que haberse dado cuenta de que algo iba mal durante los días anteriores a la fecha fijada para la boda? ¿O había sido su orgullo el que no le había permitido dedicar ni un solo pensamiento a la posibilidad de que ella no deseara casarse con él?

En todo caso, lo cierto era que Blaize nunca había carecido de posibles candidatas al matrimonio y, sin embargo, seguía soltero. Pensó que, sin duda, Cherie Watson parecía deseosa de casarse con él. Pero... ¿sería Blaize capaz de volverse a plantear la idea del matrimonio?

Había sobrepasado la treintena y, probablemente, desearía tener hijos mientras estuviera en condiciones de poder disfrutar plenamente de ellos. Durante su compromiso, ambos habían dado por supuesto que formarían una gran familia.

–Sin prisa –había dicho él–. Cuando estés preparada.

No podía acusarlo de haberse mostrado autoritario o dominante. Siempre había consultado con ella todos los detalles sobre cómo sería la casa donde vivirían, cómo la decorarían, si ella querría seguir trabajando como redactora de una publicación gubernamental una vez casada...

–Si prefieres quedarte en casa, a mí no me importa –había asegurado–. Mi sueldo basta para mantenernos a ambos.

–¿Y que haría yo durante todo el día? –había protestado ella–. Seguiré trabajando.

–De acuerdo –había aceptado él rápidamente–. Quiero que seas feliz.

Sin embargo, no podía decirse que la tolerancia de Blaize con respecto a las decisiones de ella bastara para asegurar su dicha. Aunque Sorrel prefería tener un marido aquiescente y poco celoso, no estaba en absoluto dispuesta a compartir su vida con un hombre dedicado al trabajo al cien por cien, sin tiempo para participar activamente en las decisiones domésticas y familiares. No quería casarse con un hombre que se diera por satisfecho con tener a una esposa dedicada a mantener la casa impecable, a servir suculentas comidas y a tener hijos, uno detrás de otro, para confirmar la virilidad paterna y conservar el nombre de la familia.

Había conocido montones de matrimonios de ese tipo. Los hombres estaban hundidos hasta las cejas en el trabajo y apenas se ocupaban de sus mujeres, que languidecían aburriéndose mortalmente, a pesar de los cafés y de las partidas de cartas con las amigas. Algunas de esas parejas parecían no conocerse en absoluto y asistían a los actos sociales sin tener nada que decirse y, luego, cuando los hijos abandonaban el hogar, se quedaban a solas el uno con el otro, sin haber construido una relación sentimental sobre la que apoyarse hasta el final de sus días, aparte del hábito adquirido para mantener las apariencias.

La perspectiva de seguir esa pauta, la posibilidad de meterse de lleno en un matrimonio emocionalmente estéril, había aterrorizado a Sorrel. A veces se había convencido de que eso jamás podría sucederles a ellos. Sin duda, él había sentido algo por ella, aunque solo fuera el cariño de haberse criado juntos. Pero cuanto más se acercaba la fecha de la boda, más atemorizada se sentía.

Durante las primeras semanas de su breve compromiso, él la había besado y abrazado en numerosas ocasiones y ella se había sentido capaz de olvidar sus dudas, convencida de que él la amaba de verdad. Pero a medida que se habían intensificado los preparativos, habían tenido menos oportunidades para verse a solas y la confianza se había ido desvaneciendo. El diseño de los vestidos, las tarjetas de invitación, los arreglos florales, la música y el menú del banquete parecían haber absorbido todo su tiempo.

Se había sentido totalmente exhausta mucho antes del día de la boda, hecha un manojo de nervios y hundida en un mar de dudas crecientes. Solo el hecho de que se trataba de casarse con Blaize, al que había adorado durante toda la vida, había impedido que rompiera el compromiso mucho antes.

Pero, desgraciadamente, no había sido capaz de superar sus recelos y, en el último momento, lo había echado todo a perder. Blaize había dejado de ser su novio y, posiblemente, también su amigo.

Debajo de la ducha de agua fría, Sorrel cerró los ojos y trató de olvidar los recuerdos del pasado, pero las antiguas imágenes del hombre afable y cariñoso que había sido Blaize seguían allí, mezcladas con otras más recientes, donde el mismo hombre aparecía sardónico y casi cruel, con una mirada tan dura como el granito.

Blaize tenía razón en lo relativo a que tendrían que volver a verse por fuerza en los acontecimientos sociales de Wellington. Siempre se habían movido en los mismos círculos y habían compartido las mismas amistades e intereses. Esa era una de las razones por las que todo el mundo estaba convencido de que formaban una pareja estupenda. Y eso también explicaba la decisión de Sorrel de alejarse de Wellington durante un periodo tan largo de tiempo.

El viernes posterior a la boda de Elena, Sorrel acudió a la inauguración de una exposición sobre los nuevos diseños de la artesanía indígena en la galería de una amiga de la familia. Estaba estudiando un paño de seda pintado a mano, cuando notó una presencia, alta y masculina, detrás de ella. Un sexto sentido la previno, antes de girar la cabeza para toparse con Blaize, que la miraba de pie en su postura habitual, con una mano indolentemente metida en el bolsillo del pantalón.

–¿Qué haces aquí? –increpó ella.

Él alzó las cejas durante un breve instante.

–Estoy visitando la exposición –repuso, dejando que su vista resbalara sobre el vestido de color crema sin mangas que ella llevaba–. Es muy interesante.

Hasta ese momento, Sorrel había pensado que el vestido que llevaba era discreto. Sin embargo, en aquel momento, estaba segura de que la mirada de Blaize desde lo alto podía estudiar su escote con más detalle del que ella había apreciado al mirarse al espejo.

Sorrel tomó una amplia bocanada de aire, con la esperanza de que eso le permitiera evitar el inminente sonrojo, pero él mantuvo la vista tranquilamente sobre sus pechos, que se movían al ritmo de los pulmones. Cuando volvió a mirarla a los ojos, había en ellos un destello de diversión.

–¿Dónde está Cherie? –preguntó ella.

–La veré más tarde; tenía cosas que hacer.

Ella se separó de él y continuó el recorrido de la exposición, deteniéndose ante una máscara cuidadosamente tallada en una madera ligera. Blaize se puso a su lado.

–¿Estás sola? –preguntó.

–Sí –contestó ella sin mirarlo–. Mis padres asisten a una cena esta noche.

–Supongo que habrás perdido el contacto con tus antiguos amigos.

–No con todos –repuso ella encogiéndose de hombros.

Un niño pequeño se escapó de la vigilancia de

sus padres y se acercó para tocar la escultura. Su madre salió detrás de él y Blaize le dejó espacio suficiente para que pudiera pasar, rozando así el brazo desnudo de Sorrel. Estaban tan cerca que ella pudo apreciar el leve aroma de la lana de su traje cortado a medida, unido a la conocida loción para después del afeitado que olía a limón. Se sintió inmediatamente transportada al pasado, con melancolía.

–¡Lo siento! se disculpó la joven madre, mientras luchaba con su travieso hijo para apartarlo de allí.

–No importa –dijo Blaize, depositando una mano sobre la cintura de Sorrel para obligarla a separarse unos pasos en dirección hacia una vitrina que contenía unos pendientes de jade. Las pulidas piedras verdes brillaban bajo un preciso foco de luz–. Tienen el mismo color que tus ojos –comentó Blaize con voz queda. Ella lo miró, sorprendida por el comentario, pero él ya estaba pensado en otra cosa–. Nadie diría que el jade es tan resistente como para hacer puntas de flecha con él –añadió, refiriéndose a los tiempos casi prehistóricos, anteriores a la colonización europea.

–Hacía falta paciencia –comentó Sorrel–, y talento.

–¿Es cierto que las mujeres maoríes pulían las piedras de jade frotándolas contra los muslos?

Sorrel le dedicó una media sonrisa.

–Hoy día, las mujeres tienen mejores cosas que hacer.

Él rio.

–Por cierto, ¿cómo va tu búsqueda de trabajo?

–Todavía no he decidido si voy a quedarme –repuso ella, volviendo la vista hacia los intrincados relieves de los pendientes de jade.

–¿Tienes un enamorado en Australia? –preguntó Blaize–. Déjame adivinar: te estás cuestionando la relación y vas a decidir que lo mejor es desaparecer por completo. Podrías escribirle una carta para decírselo.

Sorrel lo miró con ojos llameantes de indignación.

–¡No tengo ningún compromiso en Australia! Y, por favor, deja de forjarte opiniones sobre mi vida –contestó ella, dando unos pasos hacia otra obra de arte. Él la siguió.

–En la boda de Elena y Cam me dijiste que no eras libre –le recordó.

–Te dije que no estaba disponible –contraatacó ella–. No es lo mismo.

Durante un instante, él permaneció en silencio, con la vista fija en una incrustación de nácar sobre madera.

–Entonces…, ¿no tienes novio? –preguntó él mirándola a los ojos de forma especulativa.

–No necesito a los hombres.

–¿No pretenderás convencerme de que has estado viviendo como una monja durante todos estos años?

Ella lo miró de medio lado.

–No pretendo nada. ¡Mi vida es mi vida y de nadie más!

–De acuerdo –contestó él con tono desabrido.

Una pareja pasó cerca de ellos y Blaize tomó a Sorrel del brazo para acercarla a una cascada de agua, decorada con esculturas de piedra y cerámica.

Una mujer alta y demacrada con cabello cano y vestida con un traje de gasa verde se les acercó.

–¡Sorrel, cariño! ¿Cuándo has regresado? ¡Y Blaize! ¿Estáis juntos otra vez? ¡Qué maravilla! Siempre pensé que os pertenecíais el uno al otro –dijo con un tono de voz que encajaría perfectamente con el de una vieja actriz medio sorda.

–¡No! –exclamó Sorrel–. Simplemente hemos coincidido en esta exposición. Regresé para asistir a la boda de mi prima Elena.

–Elena… ¡Ah, sí! La pequeña con ojos negros. ¡Pero si aún debe de ser una niña!

–Ya no –replicó Sorrel con una sonrisa.

–¡Cómo pasa el tiempo! –gruñó Augusta Dollimore mientras daba una sonora palmada con las manos–. Bueno, no quiero entreteneros más. Sorrel, ya hablaremos algún día para que me pongas al tanto de todo –dijo poniendo una mano sobre el hombro de la joven para, a continuación, dedicarle una mirada de advertencia a Blaize–: Esta vez, no permitas que se te escape.

–Nosotros no… –empezó Sorrel, pero la mujer ya se había marchado en busca de algún otro conocido.

Sorrel la maldijo para sí, mientras Blaize mantenía una expresión severa.

–Ya sabes que Gus nunca escucha a nadie y, además, es una romántica incurable. Probablemente esa sea la razón de que el país esté lleno de ex maridos suyos.

–Esa mujer es una auténtica amenaza –murmuró Sorrel. Augusta conocía a todo el mundo y, al parecer, se había propuesto mantenerlos a todos convenientemente informados sobre las andanzas de los demás. Con el agravante de que solía entender las cosas a su manera, lo cual no siempre coincidía con la realidad–. Va a ir por ahí contando que nosotros, que nosotros… estamos…

–¿Juntos? Solo sería un cotilleo más. Nadie se la toma realmente en serio.

–¿No te preocupa que llegue a oídos de Cherie? Si aparece, no creo que le gustara vernos juntos.

–¿En un lugar público como este? –objetó Blaize con el ceño fruncido–. Cherie no es idiota.

¿Quería eso decir que él pensaba que Sorrel si lo era?

–Tú eres un hombre y desconoces las reacciones de las mujeres –contraatacó ella. ¿No se había dado cuenta Blaize de que su novia había estado mandando señales que querían decir: «Este es mi hombre. Apártate de él», desde el mismo momento en que se habían visto durante la boda?

–Te has dado cuenta –comentó él.

–¿De qué? –preguntó ella, algo confusa.

–De que soy un hombre –repuso él alzando las cejas–. ¿Estamos hablando de la misma cosa?

–No –contestó ella–. Yo estaba pensando en Cherie.

–Ha sido una broma sin gracia, perdona. ¿Qué decías sobre Cherie?

–Es preciosa –dijo Sorrel, dispuesta a no comentar el instinto de posesión y la inseguridad que había observado en ella, si él aún no se había dado cuenta–. ¿La conoces desde hace mucho tiempo?

–Desde hace unos seis meses. Se ocupó de diseñar el interior de las nuevas oficinas de la empresa. ¿No te lo ha comentado tu padre? ¿Por qué te interesa tanto?

–No me interesa especialmente –negó ella–. Solo pretendía conversar un poco.

–Y te resulta difícil, ¿no? –dijo él con expresión divertida.

–Tú lo haces difícil.

–Lo siento, Sorrel. No puedo evitar el pensamiento de que me abandonaste sin sufrimiento. Tú nunca tuviste que enfrentarte a las consecuencias de tu dramática escapada. Estuve bajo la estrecha vigilancia de toda la ciudad durante meses.

Era verdad. Él no había podido escapar a los cotilleos y comentarios como ella había hecho poniendo tierra por medio. Estaba atado a Wellington por la delicada salud de su padre y por los negocios familiares.

–Estoy segura de que nadie te culpó por mi desatino.

–No, nunca me culparon de nada, pero me tenían lástima –explicó él con un tono acre que dejaba bien a las claras lo mucho que esa patética corriente de simpatía lo había hecho sufrir–. Excepto alguna persona que llegó a pensar que yo te había engañado con otra mujer.

–¡Imposible! –se asombró ella.

Él le dedicó una amarga sonrisa.

–Puesto que no había ninguna explicación razonable, se la inventaron. Yo también lo hice. Durante una buena temporada estuve convencido de que habías conocido a otro hombre.

–¡En absoluto!

–Entonces, ¿qué diablos fue lo que pasó? Aún no he recibido una explicación de tus labios.

–Ya te lo he dicho; yo era demasiado joven.

–Pues, al parecer, no pensabas lo mismo cuando nos prometimos. Estaba convencido de que deseabas que te comprara un anillo de compromiso en cuanto cumplieras los veintiún años.

Era cierto. Todo el mundo estaba pendiente de que Blaize formalizara su relación con ella. Sus padres, los de él, todos los amigos de ambos…

–No quería un matrimonio de ese estilo –dijo ella de forma casi inaudible.

–¿Qué…?

El teléfono móvil de Blaize empezó a zumbar como loco. Él lanzó un juramento por lo bajo.

–¿Sí? –respondió con un tono desabrido que abandonó inmediatamente–: Cherie, cariño…

Sorrel aprovechó la oportunidad para escaparse, murmurando una excusa antes de desaparecer en dirección a la salida. Ya había visto la mayor parte de la exposición y había felicitado a la dueña de la galería.

Una vez en la calle, se detuvo para tomar una bocanada del fresco aire nocturno mientras trataba de orientarse. Había una parada de taxis cercana, pero estaba vacía. No obstante se dirigió hacia allí y escrutó el tráfico en busca de un taxi libre. De pronto, un coche se paró junto a ella y se abrió la puerta del pasajero. Ya iba a subirse cuando se dio cuenta de que el coche no llevaba una luz verde en el techo. Dudó.

–Te llevaré a casa, Sorrel –dijo Blaize.

–Estoy esperando un taxi, gracias.

–Es viernes por la noche; podrías tener que esperar durante horas.

–Está bien, no importa…

–¡Móntate o me quedaré contigo hasta que aparezca un taxi libre!

Sorrel capituló sin demasiadas ganas, se subió al deportivo de Blaize y cerró la puerta.

–Te lo agradezco de veras, pero no era necesario –dijo–. La calle está llena de gente…, no hay ningún peligro para una mujer sola.

–Jamás permitiré que una dama pasee a solas por la noche en el centro de la ciudad.

–¿Es ese uno de tus objetivos? ¿Ir salvando la vida de las damas solitarias?

Él la miró de modo fulminante y no se molestó en contestar a ese comentario.

–Supongo que ibas para casa, ¿no?

–Sí. ¿Y tú? ¿No vas a quedar con Cherie?

–Esta noche va a ser imposible; se le han complicado las cosas con unos clientes.

Blaize condujo en silencio durante un rato, con el ceño fruncido. Sorrel supuso que estaba decepcionado por no poder ver a su novia. Sin embargo, quedaba claro que no vivían juntos; de lo contrario se habría mostrado seguro de verla más tarde.

–¿Te ha gustado la exposición? –preguntó ella con tono comedido, intentando mantener una conversación normal.

–No me interesa la exposición. Me interesa saber qué hay detrás de ese comentario que estabas haciendo cuando sonó el teléfono.

–¿Qué comentario?

–Eso sobre «ese tipo de matrimonio».

Estaban subiendo por una calle angosta y empinada. Sobre la estrecha acera de la curva había una pareja de enamorados besándose, apasionadamente abrazados.

–Parecía que se trataba más de una fusión empresarial que de un matrimonio –dijo Sorrel.

Blaize chasqueó la lengua, incrédulo.

–¿Eso era lo que pensabas?

–¿Y tú no? Afrontémoslo, tanto tus padres como los míos llevaban haciendo planes para nosotros desde que… desde que yo estaba en la cuna.

–¿Me estás diciendo que tus padres te forzaron a aceptarme como pretendiente?

–¡No, por supuesto que no! Pero sabes perfectamente lo que todos ellos pensaban. En realidad, lo único que hicimos fue embarcarnos en una historia porque todo el mundo estaba esperando que lo hiciéramos.

–Yo no me «embarco» en las decisiones importantes –objetó Blaize–. Deseaba casarme contigo y pensé que eras lo suficientemente adulta como para adoptar también la decisión más lógica.

¿Lógica? Sorrel estuvo a punto de echarse a reír a carcajadas.

–Lo hice. Lo hice cuando decidí no seguir adelante.

–Un poco tarde.

–Mejor tarde que nunca. Y siempre mejor que después de prometernos fidelidad eterna delante de cuatrocientos invitados.

En la parte baja de la ciudad las luces de las casas titilaban y el mar estaba oscuro y silencioso bañando las riberas del puerto.

–Yo nunca me lo tomé como si fuera una fusión empresarial, Sorrel –dijo Blaize–. Nos conocíamos tan bien y disfrutábamos tanto de nuestra mutua compañía que el matrimonio parecía una solución natural. Yo estaba deseando pasar el resto de mi vida junto a ti. Deseando que nos casáramos por fin para poder hacerte el amor. En caso de que lo dudes, te confesaré que te encontraba francamente atractiva desde que cumpliste los trece años.

Todo lo que él decía no hacía sino corroborar los pensamientos de Sorrel.

–No estabas enamorado de mí.

–¿Enamorado? –se preguntó, tomando en consideración la cuestión–. Me he enamorado varias veces, pero ese tipo de pasión solo dura unos días; no es para siempre.

Así pues, él había decidido plantearse el matrimonio con la cabeza fría, constató Sorrel. ¿Sería ella la que estaba equivocada al pedir algo más a la unión de por vida de dos personas?

–Entonces, tus besos y tus abrazos no eran verdaderos, ¿o sí?

–Lo que hubo entre nosotros era real, al menos

eso pensaba yo. Más real que una tormentosa aventura pasajera.

—¿Me estás hablando de un matrimonio sin pasión? —preguntó ella con una mueca de desprecio.

—¿Sin pasión? —Blaize se concentró en la calzada para tomar una curva peligrosa—. ¿De dónde has sacado semejante idea? Acabo de decirte que estaba impaciente por hacerte el amor.

Y había decidido esperar hasta que estuvieran casados, a pesar del asombro de ella. Estaba segura de que ni siquiera sus padres se hubieran sorprendido lo más mínimo al enterarse de que ellos se acostaban juntos. Pero, aunque Blaize disponía de su propio apartamento de soltero desde que había cumplido los veinte años, jamás la había invitado a pasar la noche allí. Al fin y al cabo, la boda se había fijado para dos meses después de la petición de mano, por lo que la espera no tenía por qué ser demasiado dolorosa.

Mientras las madres de ambos se habían sumergido en un torbellino de preparativos, arrastrándola consigo, los besos de Blaize habían sido cada vez más escasos, aunque apasionados, dejándola en muchas ocasiones excitada y frustrada. Pero él jamás había perdido el control, nunca había pedido un beso de más, y aunque sus manos habían recorrido todo el contorno de su cuerpo, en ningún momento se habían introducido bajo su ropa.

Sorrel suponía que él sabía, o al menos adivinaba, que ella era virgen. Lo cierto era que había tonteado con varios chicos, pero nunca había ocurrido nada digno de mención. En el fondo de su mente, sabía que estaba destinada a ser la mujer de Blaize y le habría parecido que lo estaba traicionando si entregaba su virginidad a otro hombre. Sin embargo, estaba segura de que él no había tenido tantos escrúpulos. Daba por sentado que su experiencia como hombre era mucho mayor que la suya como mujer. Cuatro años antes había aceptado esa circunstancia como normal. Entonces, ¿por qué sentía resentimiento al pensar en ello? Apretó los puños y se clavó las uñas en las palmas de las manos, pero luego las estiró para relajarse.

Era evidente que a Blaize le costaba trabajo olvidar el pasado, pero no era el único. Desde que ella había vuelto a posar sus ojos sobre él, un torrente de recuerdos conflictivos había acudido atropelladamente a su mente, mortificándole el alma.

Sin embargo, no tenía ganas de discutir, de soltar acusaciones o intercambiar recriminaciones. Remover las ascuas del pasado no les iba a llevar a ninguna parte.

—Estoy segura de que hacer el amor contigo hubiera sido una experiencia muy gratificante –dijo, tratando de mostrarse objetiva–. Eres el típico hombre que lo hace todo bien, ¿no?

—Nunca me he considerado perfecto.

—Creo que es un don natural –contestó ella sin poder evitar el sarcasmo.

—Por supuesto que no. Por algún defecto me dejarías plantado, supongo.

—No se trataba de ti, se trataba de la situación. No hubiera debido permitir que las cosas llegaran tan lejos.

Pero Sorrel había mantenido hasta el último momento la esperanza de que Blaize, al igual que ella, demostrara de alguna manera que su amor era cada más intenso. Que demostrara que su matrimonio iba a ser algo más que una pragmática fusión empresarial, con el estímulo añadido del sexo. Sin embargo, lo más lejos que él había llegado había sido a un simple: «te quiero, bonita» al final de cada cita. En vez de sentirse cada vez más unidos, según se acercaba la fecha de la boda, Sorrel le había notado más lejano, casi ausente.

Blaize aparcó en la rotonda de entrada de la casa de los padres de ella y se volvió para mirarla.

–Si hubieras confiado en mí, podríamos haber resuelto cualquier problema.

–Sé que lo hubieras intentado –concedió ella. Blaize siempre se había mostrado dispuesto a ayudarla cada vez que se metía en un problema, pero estaban hablando de algo diferente–. ¿Nunca notaste que algo iba mal?

–Sabía que estabas bajo presión; los dos lo estábamos. Esas semanas previas a la boda fueron una locura, con tus padres y los míos dispuestos a tirar la casa por la ventana. Al final, ni siquiera teníamos tiempo para vernos a solas. Pero si no te sentías feliz, podrías habérmelo dicho. Podrías habernos dado a ambos la oportunidad de solucionarlo.

Sorrel sabía que él hubiera sido capaz de convencerla para que siguiera adelante. Desde que eran niños, siempre había sabido doblegar sus deseos, de una manera u otra. Pero en aquel momento, ella supo que debía tomar una decisión propia, sin apoyarse en nadie.

–Tenía que resolverlo yo sola.

–¿De una forma tan drástica? –la severidad del rostro de Blaize demostraba que estaba haciendo un auténtico esfuerzo para controlar sus emociones.

–Fue la única solución que logré encontrar –repuso ella, consciente de que tenía que haber actuado mucho antes para evitar el trauma que su decisión había provocado entre sus allegados. Abrió la puerta del coche–. Gracias por traerme.

Blaize también salió y se reunió con ella, echando un vistazo a la casa, que estaba a oscuras.

–Parece que tus padres no han llegado aún. Te acompañaré hasta la puerta.

Ella sabía que no habría modo de detenerlo, así que se dejó seguir por el camino que conducía hasta la entrada. Sacó la llave y abrió. Entró y mientras buscaba el interruptor de la luz, se dio cuenta de que Blaize estaba dentro también. Se puso nerviosa y fue incapaz de encender la luz. Él se acercó con la intención de ayudar y sus manos tropezaron juntas sobre la pared. Sorrel oyó a Blaize respirar hondo al tiempo que apretaba con sus dedos la mano de ella y le daba un ligero tirón para colocarla frente a él. Con la otra mano, le rodeó la cintura y la atrajo hacia sí hasta que sus cuerpos entraron en contacto. Sorrel apreció la fortaleza y el calor de Blaize en un estado de confusa turbación.

«Va a besarme», pensó, mientras entreabría los

labios para recibir una boca que no tardó en llegar, sedienta y tormentosa.

Ese beso no se pareció en nada a los que habían compartido hacía ya cuatro años. Incluso dudó de que se tratara del mismo hombre; un hombre que en ese momento parecía estar cumpliendo con una venganza sensual, con un corazón que latía tanto por causa del deseo como de la ira.

Sorrel echó la cabeza hacia atrás, sucumbiendo al asalto con una respuesta llena de pasión y de adrenalina que la dejó anonadada. Después, se retorció contra él intentado en vano escapar de sus brazos y consiguiendo solo que él se excitara aún más. Cuando claudicó, él la estrechó con fuerza, mientras invadía su boca con la lengua, provocando en ella una rápida aceleración del ritmo cardiaco. Blaize la apoyó contra la pared, metió una mano por el escote de su vestido y le acarició con maestría uno de los pezones. Sorrel gimió y se estremeció y él deslizó su boca hasta la base de la garganta para explorar brevemente el hueco que se marcaba entre sus clavículas.

–No había ningún problema con la pasión –la reprendió él con tono ronco.

Y de pronto se produjo el caos.

Capítulo 3

ATURDIDA, Sorrel no reconoció al instante el ondulante sonido de la alarma. Blaize lanzó un juramento y apartó las manos de ella, dejándola desorientada y casi incapaz de sostenerse en pie.

—¿Dónde demonios está el interruptor? —preguntó con tono imperioso, mientras ella recobraba la compostura y encontraba la lucidez suficiente como para recordar no solo ese dato, sino también la clave de desconexión de la alarma.

—Detrás de la puerta —dijo Sorrel alzando la voz. Blaize cerró la puerta de un portazo y se hizo la luz mientras ella se dirigía hacia la pared opuesta para desconectar el trepidante y molesto sonido.

El estrépito cesó de inmediato y dio paso a un silencio expectante. Ella se volvió renuente hacia él.

—Olvidé desconectarla.

Bajo la brillante luz de la lámpara del vestíbulo, su rostro masculino parecía insólitamente demacrado y su mirada velada y muy oscura. Blaize lanzó un amargo ladrido que pretendía ser una risotada.

—Una buena forma de escapar de mí —comentó

dolorido–. Hemos estado a punto de dejarnos llevar por la pasión.

–Puede que ese haya sido tu caso –repuso Sorrel con una frialdad que no sentía–. Ni siquiera se te ha ocurrido pensar que yo… que yo no te estaba siguiendo el juego.

Blaize aguzó la mirada y la detuvo en el escote de su vestido. Esta vez su risotada resultó claramente insultante.

–Claro que me estabas siguiendo el juego, cariño –dijo recorriendo con un dedo el borde de encaje del sujetador, que aún continuaba a la vista como prueba irrefutable de lo que había pasado entre ellos.

Sorrel se estremeció sin rechistar, mientras la sangre acudía a sus mejillas.

–Vete –dijo entre dientes, llena de humillación y furia–. Y no vuelvas a acercarte a mí.

Él sonrió, con una expresión de reto arrogante que resaltaba su masculinidad y su atractivo.

–¿Por qué? ¿Me tienes miedo?

–¡Claro que te tengo miedo! –le espetó ella–. ¡Me has atacado en mi propia casa!

La sonrisa desapareció del rostro de Blaize, dejando paso a una expresión mucho más peligrosa.

–¿Atacado? –preguntó con voz queda–. Sabes que jamás te haría daño, Sorrel. Si te hubieras resistido en serio, yo me hubiera retirado inmediatamente. No me conviertas en un monstruo. Los fantasmas que ves están solo en tu cabeza –añadió tocándole ligeramente la sien.

Ella agitó la cabeza, negándolo.

–No te atrevas a llamarme neurótica. No lo soy y, en el caso de que lo fuera, tú no estarías capacitado para juzgarme.

–Todos arrastramos nuestros pequeños conflictos psicológicos –concedió él–. Y yo estoy enfrentándome con varios esta misma noche.

–El hecho de que tu novia estuviera ocupada no te da derecho a tratar de ahogar tu frustración conmigo.

Una mueca de disgusto recorrió las facciones de Blaize.

–Esto no tiene nada que ver con Cherie –afirmó desapasionadamente–. Ni siquiera he pensado en ella.

–¡Estoy segura de que va a saltar de alegría cuando se entere!

Él la miró con una sonrisa sardónica, casi burlona.

–Si tú no se lo cuentas, yo tampoco pienso hacerlo –le dijo–. Esto solo ha sido una… aberración. Se nos ha echado encima el pasado y hemos perdido el sentido de la realidad.

–Habla por ti. Para mí el pasado está muerto y enterrado, no me he quedado estancada en él y ahora soy una mujer libre, hecha y derecha.

–¿Es eso cierto? –preguntó él–. Creo que a mí no me resulta tan fácil dejar las cosas atrás.

–Ese es tu problema, no el mío.

Él asintió con la cabeza, pensativamente.

–Yo también me he construido una vida propia, Sorrel –puntualizó–. Hasta que apareciste para asistir a la boda y volví a verte en persona, creí que había superado con creces la debacle de nuestra inconclusa boda. Jamás me imaginé que, después de tanto tiempo, iba a sentir una urgencia tan poderosa de… –se detuvo abruptamente, con los puños apretados.

–Retorcerme el cuello –concluyó ella.

Y, sin embargo, su cuello seguía intacto, reflexionó. Él solamente se había atrevido a besarla, lo cual era muy distinto. Sorrel supuso que Blaize no había podido desahogar su comprensible enojo con nadie durante esos cuatro años, ya que la causante directa de su agravio había puesto tierra de por medio y era imposible culpar a nadie más. Supuso que habría contenido su furia y acumulado rencor contra ella, hasta que su inesperada presencia en la boda de Elena había desatado las emociones tan cautelosamente reprimidas durante tanto tiempo.

–Supongo que es comprensible –añadió ella después de una pausa–, pero no pienso convertirme en tu chivo expiatorio.

–Espero que estés hablando metafóricamente. No tienes nada que temer de mí desde el punto de vista físico –repuso él con el ceño fruncido.

–Sí, lo sé –aceptó ella, a sabiendas de que las cosas no estaban tan claras en el terreno emocional. Se sentía amenazada y no sabía por qué. Seguramente se trataba de una mezcla de restos de resentimiento por parte de él y de culpa por parte de ella. Y, sin embargo, el beso había resultado demoledor.

–Me alegro de oírtelo decir –contestó Blaize un poco más relajado.

–De todos modos, no pienso quedarme en Wellington durante mucho tiempo.

–¿Cuándo has tomado esa decisión? Hace unas horas no parecías convencida de querer regresar a Australia.

–En este mismo momento –contestó Sorrel a la defensiva, mordiéndose el labio.

–¿Es otra huida? –la acusó él, con mirada desdeñosa–. ¿Por qué será que no me sorprende nada?

–¡No tengo ni la menor idea! –repuso Sorrel, alterada–. Y que te quede claro que no estoy huyendo de nada; simplemente he cambiado de opinión. ¿Por qué te empeñas en afearme la conducta cada vez que se te presenta la ocasión?

Se produjo un breve silencio.

–Lo siento, ha sido un comentario desafortunado. Pero a tus padres les encantaría que te quedases.

–Eso es verdad –contestó Sorrel, acordándose con preocupación de su madre, que parecía haber envejecido prematuramente y que nunca comía con apetito–. Pero si me quedara en Wellington, perdería el contacto con un montón de buenos amigos, perdería mi apartamento y perdería mi trabajo. Sería una renuncia tremenda.

–Sin embargo, no sería la primera vez que haces una cosa así, ¿verdad? No pretendo herir tus sentimientos, pero prefiero hablar con sinceridad.

–Gracias por tu aportación a mi dilema; estoy segura de que solo te propones ayudarme a tomar una de las decisiones más importantes de mi vida –contestó ella con sarcasmo.

Él sonrió con aprobación ante semejante muestra de carácter.

–Bien, si cambias de opinión –sugirió con tono mordaz–, llámame.

–¿Para qué?

–Tengo contactos en la ciudad. Si necesitas un trabajo…

–¿Por qué te sientes obligado a ayudarme? –inquirió ella, con el corazón dolorido por el convencimiento de que él la odiaba.

–Digamos que lo hago por los viejos tiempos –apuntó él con impaciencia, al tiempo que se volvía para abrir la puerta de la calle.

Ella no cambió de postura mientras él salía, cerrando la puerta tras de sí. Una vez a solas, dejó escapar un suspiro de alivio y se encaminó hacia las escaleras para refugiarse en su dormitorio.

–¿Qué tal la exposición? –preguntó el padre de Sorrel en la mesa del desayuno.

–Interesante –replicó ella sardónicamente–. ¿Y la cena?

–Estupenda.

–Mucha gente nos preguntó por ti –intervino Rhoda–, Sorrel. Todo el mundo quiere saber si vas a quedarte.

Sorrel supuso que su madre le estaba tendiendo un lazo para que ella aclarara de una vez por todas cuáles iban a ser sus planes.

–Aún no he tomado una decisión –repuso, arrepintiéndose de haberles comentado la posibilidad a

Blaize y a Cherie. Si no lo hubiera hecho, no tendría por qué estar permanentemente bajo presión.

–Has vivido en el extranjero durante muchos años. La mayor parte de la gente ya habrá tenido tiempo de olvidar lo que sucedió.

«Pero tú no», pensó Sorrel. Cada vez que se mencionaba el nombre de Blaize, su madre componía una mueca de desolación y lanzaba un compungido suspiro.

–¿Viste a alguien conocido en la exposición? –preguntó Rhoda.

–Gus Dollimore estaba allí –comentó Sorrel, añadiendo un par de nombres más, antes de confesar con renuencia–: Blaize me trajo a casa.

–¿Blaize? ¡Qué gesto tan considerado por su parte! Teniendo en cuenta que… –Rhoda tosió y se aclaró la garganta–. Entonces, ¿volvéis a ser amigos? –preguntó con la mirada llena de esperanza.

¿Amigos? Sorrel estuvo a punto de soltar una carcajada. Fueran lo que fueran, la palabra «amigos» se quedaba demasiado corta. Pensó en el ardiente beso de la noche anterior y levantó la taza de café para ocultar tras ella un súbito sonrojo.

Era obvio que eso no volvería a suceder… Él había admitido que no lo había planeado con antelación, que se había dejado llevar por un impulso del pasado. Cosa rara en Blaize, que solía mantener la compostura hasta en los momentos más difíciles. Probablemente, estaría arrepintiéndose del arrebato de la noche anterior tanto como ella. Sin embargo, él la había tildado de cobarde y ella había acusado el golpe.

Tomó la sección de ofertas de trabajo del periódico, preguntándose si él sería consciente de que su trato desdeñoso y burlón la incitaba a pensarse muy en serio la posibilidad de quedarse en Wellington. Pero… ¿por qué deseaba Blaize que ella se quedara? ¿Para complicarle aún más la vida? Especialmente, si se tenía en cuenta que tan solo la noche anterior había tenido auténticas dificultades para mantener una actitud civilizada.

Después del desayuno, Sorrel ayudó a su madre a limpiar la mesa y a fregar los platos.

–¿Había algún trabajo interesante en el periódico? –preguntó Rhoda.

–Nada especial –repuso Sorrel colocando una fuente en el lavaplatos–. O al menos nada para lo que yo esté específicamente cualificada. Ahora pienso que quizá hubiera debido estudiar algo más práctico en la universidad, en vez de una carrera artística.

Sorrel había disfrutado de sus estudios, pero pronto se había dado cuenta de que en el mundo de la empresa no se necesitaban demasiados especialistas en arte.

–Bueno, todos estábamos convencidos de que te ibas a casar con Blaize –comentó Rhoda a modo de reproche.

Y lo cierto era que Blaize hubiera podido permitirse mantener a una esposa ociosa con todos los lujos al alcance de la mano.

Sorrel no respondió al comentario de su madre. Tenía que admitir que su visión de la vida cuatro años antes no había sido muy diferente de la de Rhoda. Todo lo que hacía parecía un mero entretenimiento provisional a la espera de meterse de lleno en lo que sería su verdadera vida: ser la esposa de Blaize y criar a sus hijos. Cuando estos hubieran crecido, ella hubiera podido plantearse aceptar algún empleo, o quedarse en casa, como su madre, entregada a diversas causas caritativas, al cuidado de la casa, y a divertirse jugando a las cartas con las amigas y asistiendo a alguna fiesta de vez en cuando.

–Las cosas no siempre salen como uno se espera –comentó finalmente.

–¡Pero si fuiste tú misma la causante del desastre!

–Decidí asumir mi responsabilidad como mujer adulta –era la primera vez que lo había hecho. Hasta entonces había sido una niña mimada y adorada a la que sus padres habían conducido por el camino de la vida hacia la seguridad de un buen matrimonio. Nadie había esperado que ella empezara a tomar decisiones propias–. Tengo una vida satisfactoria, madre. Soy feliz.

–¡También hubieras sido feliz con Blaize! –arguyó Rhoda, testaruda–. Tu padre y yo estábamos seguros de que formabais una pareja ideal, y los padres de Blaize… –la tos la interrumpió y sacó un pañuelo para llevárselo a la boca.

–¿Te encuentras bien?

–Sí –repuso Rhoda, antes de dejarse vencer por un nuevo ataque de tos–. Si abrigabais una idea romántica sobre el amor… –tosió de nuevo–. La pasión es muy bonita, pero no dura para siempre. Además, no hubiera sido sensato esperar que surgiera entre vosotros un rapto amoroso, cuando os conocíais desde niños…, eso elimina la ilusión de la sorpresa inicial.

–¿Has ido al médico?

–No creo que sea necesario –repuso Rhoda con semblante pálido, mientras escondía el pañuelo.

–Debes hacerte un chequeo; estás muy delgada.

–Cariño, ya sabes que siempre estoy a dieta. Tú tienes la suerte de haber heredado la constitución de tu padre, pero yo tengo que vigilarme.

–Creo que debes ir al médico –insistió Sorrel–. ¿Te gustaría que te acompañara?

Sorrel vio en la expresión de su madre una mezcla de miedo con alivio y se atemorizó. ¿Desde cuándo tenía esa tos tan desagradable?

–Estoy segura de que no tiene la menor importancia, pero si así dejas de darme la lata…

El domingo por la noche, mientras Sorrel veía la televisión con sus padres, sonó el teléfono. Rhoda se levantó para contestarlo en el vestíbulo y regresó al salón al poco rato.

–Es para ti, Sorrel. Es Blaize –añadió con una mirada de curiosidad divertida.

Sorrel se dirigió al teléfono.

–¿Diga?

–Buenas noches, Sorrel.

–¿Qué es lo que quieres? –preguntó ella con frialdad.

–Pedirte disculpas –repuso él con un tono más imparcial que arrepentido–. Te traté con demasiada brusquedad… verbalmente.

Así pues, no parecía dispuesto a admitir que la había forzado físicamente. Sin embargo, Sorrel tuvo que reconocer que ella misma no se había defendido con demasiada firmeza. La distrajo el sonido de la tos de su madre en el salón.

–¿Sorrel? ¿Sigues ahí?

–Sí. Disculpas aceptadas. Yo también hablé demasiado.

–Yo… yo te juro que no planeé el… episodio.

–Te creo –aceptó ella, consciente de que Blaize era una persona muy cautelosa. El enfado por los acontecimientos del pasado había surgido de repente y él no había podido evitar expresarlo de algún modo. Y puesto que su código ético no le permitía pegar a una mujer, había optado por besarla con furia y pasión.

–No te dejes llevar por el pánico con respecto a mí –le advirtió él–. Podrías tomar una decisión apresurada y arrepentirte después.

–No lo haré. ¿Eso es todo? –la tos de Rhoda se había intensificado y Sorrel oyó la voz de su padre preguntándole si se encontraba bien.

–Sí. Ya te dejo en paz. Buenas noches –se despidió Blaize con tono comedido.

Cuando Sorrel volvió a entrar en el salón se encontró a su madre secándose los ojos con un pañuelo, mientras su padre la miraba con el ceño fruncido.

–Tienes que ir al médico –gruñó.

–Voy a ir. Llamaré mañana mismo para pedir una cita. Sorrel me acompañará.

El médico le recetó unos antibióticos.

–Si la tos no ha cedido cuando termine de tomarlos –instruyó el doctor–, vuelva y le haremos más pruebas.

Durante el camino hacia el coche, Rhoda dijo:

–Ya sabes que dejé de fumar hace años, pero me inquieta que ya fuera demasiado tarde.

–El médico no parecía muy preocupado –contestó Sorrel, procurando mostrarse segura.

–¿Por qué no vamos a ver si tu padre tiene tiempo para comer con nosotras? –preguntó Rhoda de repente, consultando el reloj–. Podría llevarnos a algún sitio bonito.

–¿Por qué no le llamamos por teléfono? –sugirió Sorrel.

–No –repuso Rhoda con firmeza–. Eso le permitiría inventar cualquier excusa. Le sentará bien alejarse un rato de la oficina.

Cuando la secretaria les confirmó que Ian no estaba con ningún cliente, ambas se encaminaron directamente a su despacho.

–Le daremos una sorpresa –dijo Rhoda.

Sorrel se quedó sin habla cuando vio a su padre y a Blaize inclinados sobre la gran mesa de reuniones, estudiando unos documentos. Su ex novio se incorporó, pasó la mirada por Rhoda y la detuvo en Sorrel.

–Hola, Rhoda…, Sorrel…

–¿Os hemos interrumpido? –preguntó Rhoda acercándose a Ian para besarlo en la mejilla–. Se nos ha ocurrido que podrías llevarnos a comer a alguna parte, Ian. Venimos de ver al médico.

–¿Pasa algo? –intervino Blaize, antes de que Ian pudiera articular palabra.

–Una tos pasajera –contestó Rhoda con soltura, quitándole importancia al tema–. Me ha recetado unas pastillas.

Blaize e Ian parecían aliviados.

–Estamos un poco atareados… –dijo Ian.

–Puede esperar –terció Blaize–. Comer a mediodía no es un capricho, es una necesidad. Disfruta de la compañía de tu mujer y de tu hija ahora que puedes y ya seguiremos con esto por la tarde.

Ian levantó las manos en señal de rendición y se puso en pie.

–Supongo que podemos permitírnoslo –comentó–. Vente con nosotros, Blaize.

–Jamás osaría entrometerme en una reunión familiar –repuso él cortésmente.

–¡Tonterías! –exclamó Rhoda. ¡Tú eres casi de la familia! Lo habrías sido si… –se interrumpió para mirar a Sorrel, dubitativa–. No tienes ningún inconveniente, ¿verdad, cariño?

–Por supuesto que no –dijo ella manteniendo una expresión neutral.

–¡Así me gusta! –se felicitó Rhoda, satisfecha–. ¡Vámonos!

Blaize sonrió resignado y divertido.

–Gracias, estaré encantado de acompañaros.

Caminaron hasta un restaurante cercano, Rhoda

colgada del brazo de su marido, y Sorrel y Blaize detrás. Él no la tocó durante el trayecto, aunque luego deslizó una mano por su cintura para ayudarla a sortear las mesas del comedor.

Ian pidió una botella de vino, pero al primer sorbo, Rhoda empezó a toser. Sorrel depositó su copa sobre la mesa, observando su pálido semblante con preocupación, y Blaize le sirvió un vaso de agua. Cuando se apaciguó la tos, Rhoda empuñó con firmeza el cuchillo y el tenedor, mientras preguntaba a Blaize si tenía noticias sobre sus padres.

–He recibido un par de postales, la última desde Grecia. Parece que lo están pasando muy bien.

–Los cruceros deben de ser muy divertidos –comentó Rhoda–. Sorrel y tú ibais a… Bueno, lo que quiero decir es que me alegro de que Vera y Paul lo estén pasando bien.

Sorrel no pudo evitar lanzar una ojeada a Blaize y se encontró con que él también tenía sus ojos posados sobre ella. Se sostuvieron la mirada durante unos instantes y Sorrel se imaginó con vergüenza que él habría tenido que cancelar las reservas que había hecho para su luna de miel en un crucero por las islas del Pacífico, cuando ella decidió esfumarse.

Los ojos de Blaize la miraban con frialdad.

Capítulo 4

SORREL bebió un sorbo de vino, antes de atacar el plato de pasta con mariscos. Su madre mantuvo la conversación con maestría durante toda la comida, hablando sobre todo de gente conocida. Sorrel no se dio cuenta de que se había terminado la bebida hasta que Blaize le rellenó la copa, mientras llamaba al camarero para pedir otra botella.

–Yo me ocuparé del vino –le dijo a Ian.

Sorrel se bebió la segunda copa de vino temerariamente. Todos terminaron de comer y cruzaron los cubiertos sobre el plato para que el camarero los retirara, pero ella observó que su madre apenas había probado bocado.

Blaize había seguido su mirada.

–Parece cansada –le dijo en voz baja–, pero no debes preocuparte demasiado; los catarros son demoledores.

–¿Desean algo de postre? –preguntó el camarero.

–Yo no –respondió Rhoda rápidamente.

–Solo café –dijo Ian.

–¿Qué os parece si compartimos una tabla de quesos? –sugirió Blaize.

–Estupendo –contestó Sorrel–. ¿Lleva queso de cabra? –preguntó al camarero. Era el favorito de su madre.

–Por supuesto.

Al cabo de unos instantes, regresó con una tabla de quesos acompañada con uvas y tostadas.

–¿Una tostada con queso de cabra? –le preguntó Blaize a Rhoda, mientras empuñaba el cuchillo del queso, consciente de sus gustos.

–Sí, gracias, Blaize.

Ian se negó a que su socio pagara la cuenta y Sorrel se quedó a solas con Blaize mientras Rhoda entraba en el tocador de señoras.

–¿Piensas que la tos de tu madre puede ser algo grave?

–No lo sé, pero ella está preocupada. Y no come nada.

–Ya lo he visto.

–Gracias por intentarlo.

–No creo que un poco de queso la haga sentirse mucho mejor.

–No, si está realmente enferma.

Él le tocó el brazo durante un instante, mirándola como en los viejos tiempos, con compasión, preocupación y afecto.

–Espero que no sea así.

–Gracias, Blaize –contestó ella con cierta brusquedad.

Él volvió a mirarla intensamente, como si fuera a añadir algo más, pero cambio de parecer y la soltó, mientras Rhoda salía del tocador y se reunía con ellos.

–Parece que Blaize y tú os estáis llevando bien –comentó Rhoda durante el camino de regreso a casa.

–No merece la pena revolver el pasado –repuso Sorrel.

–Exactamente. Estoy segura de que si le das una oportunidad, Blaize será capaz de perdonarte. Ten en cuenta que aún no se ha casado.

–Creo que olvidas un pequeño detalle: tiene novia.

–¿Esa chica rubia? –contestó Rhoda con menosprecio, como si Cherie no fuera digna de atención–. Ya ha tenido otras novias desde que te fuiste, pero ninguna le ha durado mucho.

–¿Cuánto tiempo lleva con Cherie? –preguntó Sorrel con acento despreocupado.

–Creo que llevan juntos unos cinco meses –dijo Rhoda con el ceño fruncido.

–Eso es mucho tiempo.

–Probablemente esté a punto de abandonarla, como ha hecho con las demás. Creo que deberías mostrarte disponible; quizá aún estéis a tiempo de arreglar las cosas.

Sorrel lanzó una carcajada dolorosa. El pragmatismo de Rhoda era proverbial.

Mientras su madre se estuvo tomando la caja de antibióticos, Sorrel salió de compras con ella, vio a un par de antiguas amigas y reflexionó sobre su futuro.

Una noche, tomó prestado el coche de Rhoda para asistir a la fiesta de lanzamiento de una nueva revista de modas, publicada por una amiga. Después de contemplar el desfile de modelos que dio comienzo a la velada, de felicitar a su amiga y de tomarse un par de canapés, aceptó una copa de vino que le ofreció un camarero y echó un vistazo para ver si había alguien conocido cerca.

«Oh, no», pensó al ver a Gus Dollimore, que se dirigía directamente hacia ella, con su abundante cabellera gris sujeta en lo alto de la cabeza con un lazo, embutida en un vestido negro y envuelta en varios pañuelos de gasa de distintos colores.

–¡Mi querida niña! –bramó–. ¿Estás sola? –preguntó con gran amabilidad–. Ya me he dado cuenta de que Blaize está de nuevo con esa chica rubia. ¿Has pensado en la posibilidad de teñirte el pelo…? Bueno, no importa –añadió, agarrándola fuertemente por el codo–. ¡Vente conmigo a conocer gente nueva!

Ignorando las protestas de Sorrel, Gus Dollimore la arrastró como si fuera un trofeo hasta un concurrido grupo, para hacer la presentaciones.

–Esta es Sorrel Kenyon; la pobre ha estado cuatro años exiliada en Australia –dijo, posando intencionadamente los ojos sobre un hombre alto y serio de unos treinta años–. Trátala bien, Craigh –rogó, despidiéndose con la mano para irse a saludar a otra gente.

Sorrel volvió los ojos hacia Craigh y se encontró con una mirada divertida. El hombre tenía un aspecto inteligente y un rostro que iría ganando dignidad a medida que envejeciera.

–Lo siento –dijo ella.

–No tienes por qué sentirlo. Estoy encantado de conocerte.

–Gus es como un torbellino –dijo una de las mujeres del grupo–. Pero tiene buenas intenciones.

–Es su manera de vivir –comentó Craigh, antes de volverse de nuevo hacia Sorrel–. ¿Así que exiliada en el terrible desierto australiano?

–En Melbourne, de hecho –repuso ella con una sonrisa–. Un lugar muy civilizado.

–Eso creo, aunque nunca he estado allí. ¿A qué te dedicabas?

Era fácil hablar con él y el resto del grupo se fue alejando lentamente. Se trataba de un hombre muy atractivo, sobre todo cuando sonreía. Y ella necesitaba trabar relaciones con hombres interesantes para poder quitarse a Blaize de la cabeza. Mientras estuvo en Australia, había podido olvidarse de él durante meses, pero desde que había regresado, él invadía sus pensamientos de noche y de día.

–Déjame que vaya a buscarte otra –dijo Craigh, cuando Sorrel tuvo la copa vacía. Pero no había ningún camarero cerca y, antes de alejarse, él la tomó del brazo e inclinó la cabeza–. Espérame aquí, no quiero perderte de vista.

Sorrel echó un vistazo a los alrededores y vio la magnífica figura de Blaize cubierta por un elegante traje negro. Estaba echando la cabeza hacia atrás para soltar una sonora carcajada que a ella le trajo recuerdos del pasado. Tenía el brazo pasado por encima de los hombros de Cherie, que lo miraba con una sonrisa de adoración. A Sorrel se le retorció el estómago. Como si él tuviera un sexto sentido, giró la cabeza y la vio, quedándose absorto en su imagen durante un instante. Después, soltó a Cherie, murmuró una disculpa y se dirigió hacia ella, llevando en la mano una copa mediada de vino.

–¿Estás sola?

–No –repuso ella con alivio–. Estoy esperando a que un hombre me traiga una bebida. No hace falta que sientas lástima por mí –añadió, contenta de haberse arreglado especialmente esa noche, con un vestido de encaje verde, de cuello alto, pero sin mangas.

–No creo que nadie tenga por qué sentir lástima de ti. Estás… preciosa esta noche.

–Gracias. Tu también estás magnífico.

–Sé arreglarme cuando es necesario –dijo él con una pizca de malicia.

–Es evidente. Supongo que Cherie estará impresionada.

–Eso espero –repuso él, perdiendo el humor.

–No tienes nada de que preocuparte. Es obvio que ella te adora –concluyó Sorrel, clavándose una daga en su propio corazón.

–Es una mujer muy inteligente –dijo él con el ceño fruncido.

Sorrel rio con amargura; todo indicaba que estaban enamorados. Pero si eso era verdad, ¿cómo explicar el tórrido beso que le había dado la noche en la que la había acompañado a casa? Había dicho que solo se trataba de una… aberración, un rapto del pasado…

–¿Cómo está Rhoda? –preguntó Blaize, sacándola de su ensoñación.

–Dice que los medicamentos le están sentando bien, pero yo no estoy muy segura.

–No permitas que haga ninguna tontería si crees que de verdad está enferma. Yo tendría que haber obligado a mi padre a ir al médico antes.

–Tu padre es tan cabezota como tú. No creo que hubieras podido obligarlo a hacer nada que no fuera de su agrado.

–Supongo que tienes razón –repuso él con media sonrisa–. ¿Cuándo regresas a Melbourne?

–Estoy esperando a ver qué pasa con mi madre, antes de tomar una decisión. Si no mejora…

–Si al final decides quedarte, sé de alguien que podría ofrecerte un trabajo.

–¿De veras?

–Una amiga mía diseña ropa infantil y tiene una tienda. Pero está embarazada y necesita ayuda. Creo que, en cuanto nazca su hijo, pretende dedicarse solo al diseño y ceder la tienda a otra persona. Si te interesa, puedo darte su número de teléfono.

–Gracias –dijo Sorrel, dubitativa–. No creo que haya nada de malo en intercambiar impresiones.

Blaize sacó una tarjeta de visita del bolsillo de la chaqueta y anotó un número con una pluma de plata.

–Se llama Marta. Quizá recuerdes a su marido, Laurie Kirkman.

Laurie solía jugar al tenis con Blaize, recordó ella.

–No sabía que se había casado.

–Hace dos años.

Laurie había sido uno de los invitados a su malograda boda, pero Sorrel esperaba que no fuera demasiado chismoso; eso podría enturbiar su relación con Marta.

–Eres muy amable.

–Le estoy haciendo un favor a Marta. Sé que está preocupada por encontrar a la persona adecuada para atender la tienda antes de que nazca el niño.

Craigh apareció, con dos copas en la mano.

–Lo siento, he tardado una eternidad –dijo echando una estudiada mirada a Blaize.

Sorrel tomó su copa y le dirigió una espléndida sonrisa, antes de hacer las presentaciones. Los hombres se dedicaron una inclinación de cabeza, pero ninguno de los dos alargó la mano para estrechar la del otro.

–Os dejo –dijo Blaize tras una pausa, dándose la vuelta para volver con Cherie.

–¿Viejos amigos? –preguntó Craigh con una sonrisa de curiosidad.

–Blaize es el socio de mi padre en la empresa –explicó, sintiéndose algo absurda al reducir los hechos de tal manera–. Nos conocemos de toda la vida…

–Ah, ¿entonces es una especie de hermano mayor?

–No exactamente –repuso ella, tomando un sorbo de vino.

–¿Has comido algo? –preguntó Craigh con cortesía.

–Un par de canapés.

–Eso no es alimentarse en serio. ¿Qué te parece si desaparecemos de aquí y te invito a cenar?

–Sería estupendo, pero no hace falta que me invites.

–Será un placer, Sorrel. ¿Quieres terminarte el vino antes?

Craigh era un encanto, pensó Sorrel negando con la cabeza. El tomó ambas copas y las depositó sobre una mesa. Luego, le pasó una mano ligeramente por la cintura y la condujo hacia la puerta a través de la multitud. Pasaron cerca del grupo de Blaize y Cherie y, aunque Sorrel sabía que no tenía por qué avergonzarse por estar sola en un acto social, lo cierto era que prefería salir de allí bien acompañada.

Craigh la llevó a un pequeño y pintoresco restaurante junto al mar. La cena se desarrolló de manera natural y muy agradable, mientras discutían sobre las noticias del día y se ponían al tanto de sus propias vidas. Sorrel descubrió con interés que él trabajaba como consultor de tecnología para varias empresas.

Al final de la velada, Craigh la acompañó a casa y cuando le pregunto si podía llamarla durante la semana, ella dudó antes de aceptar, pero se dijo que era una mujer libre y que nada impedía que disfrutara de la compañía de un hombre tan atractivo y educado.

–No me acuerdo de tu apellido –confesó Sorrel.
Él rio.

–Cassidy, Craigh Cassidy. Te llamaré.

Ella se metió en casa sintiéndose colmada de atenciones y estimulada. Había otros hombres en el mundo, aparte de Blaize Tarnower.

A la tarde siguiente, mientras Rhoda estaba en su habitación, el padre de Sorrel le preguntó:

–¿Vas a volver a Melbourne?

–No, si mamá me necesita.

–No debes dejar que ese viejo asunto te incomode. Estoy seguro de que Blaize ya te ha perdonado.

Quizá no fuera del todo cierto, pero Sorrel tenía que agradecerle a Blaize que estuviera poniéndolo todo de su parte para suavizar las cosas. En cualquier caso, la salud de su madre era lo más importante.

Al final de la semana, el médico pidió radiografías de los pulmones de Rhoda y se comprobó que en ellas aparecía una inquietante mancha negra. Se le dio cita para una biopsia una semana más tarde. A pesar de que parecía que la mancha no era maligna, tendrían que esperar otras tres semanas para disponer de un diagnóstico definitivo. En cualquier caso, lo más probable era que tuvieran que operarla.

Con su madre presa del llanto y su padre consternado de preocupación, Sorrel llamó a su jefe en Melbourne para explicarle la situación y notificarle que no pensaba volver. Pidió disculpas por tan inesperada decisión, pero se sintió aliviada al ver que su jefe se mostraba comprensivo. Luego, llamó a su joven compañera de piso y le pidió que enviara todos sus enseres a Wellington, a excepción de los muebles, que cedería a la siguiente inquilina.

Blaize se presentó por la tarde con un ramo de rosas.

–Es para tu madre –dijo, cuando Sorrel le abrió la puerta–. Ian me lo ha contado todo.

Ella lo condujo hasta el salón, donde su padre leía el periódico y su madre trataba de concentrarse en una labor de punto de cruz. Blaize besó la mejilla de Rhoda y le entregó las flores.

–¡Querido Blaize! ¡Son preciosas! –dijo ella, apretándole la mano–. ¡Muchas gracias!

–¿Las pongo en agua? –se ofreció Sorrel–. ¿Te apetece tomar una taza de café, Blaize?

–Sí, gracias –repuso él, sentándose junto a Rhoda.

Una vez en la cocina, Sorrel puso la cafetera en el fuego, antes de buscar un jarrón para las flores. Cuando terminó de colocarlas, el café ya estaba listo, y llenó una taza, añadiendo una buena cucharada de azúcar, para llevársela a Blaize.

–Aún lo tomas con mucha azúcar, ¿no?

–Sí –repuso él, probando un sorbo–. Está perfecto.

Media hora más tarde, y después de una segunda taza de café, Blaize se incorporó para marcharse.

–¿Me acompañas hasta la puerta? –le preguntó a Sorrel.

Ella retiró la taza, mientras él se despedía de su padres, y luego lo precedió hasta la puerta. Blaize se agarró a su brazo y la condujo hasta el porche de entrada.

–¿Cómo te encuentras? –preguntó en voz baja.

–¿Yo? Yo no soy la que está enferma.

–Pero, sin duda, estarás bajo tensión.

–Todos lo estamos.

Él levantó una mano y le acarició la mejilla.

–Si hay algo que pueda hacer, Sorrel, no tienes más que decírmelo.

–Gracias, Blaize –repuso ella, mientras unas lágrimas se escapaban de sus ojos.

–Prométemelo –insistió él.

–Lo prometo –respondió ella al fin, dubitativa.

La mano de él se deslizó hasta su nuca y sus labios se lanzaron a darle un rápido beso en la boca.

No había sido un beso sexual, se dijo ella, mientras él se alejaba. Había sido un beso de apoyo, pero ella no había podido evitar estremecerse y sentir una oleada de calor por todo su cuerpo. La caricia había despertado de nuevo los recuerdos de tiempos pasados.

De regreso en el salón, pudo observar como la expresión de su madre parecía radiante. La visita de Blaize había sido un buen tónico para ella.

–Blaize me ha dicho que te ha encontrado un trabajo –dijo Rhoda.

–Bueno, me ha ofrecido un posible contacto.

–Lo que sea. ¿Vas a aceptarlo?

–He pensado que te gustaría que me quedara en casa hasta que te sientas mejor.

–¡No quiero que rondes por mi alrededor como si fuera a morirme de un momento a otro!

–¿Es eso lo que estoy haciendo? –pregunto Sorrel, sonrojada.

–Sé que tienes buenas intenciones –dijo su madre, más tranquila–, pero no quiero que ni tú ni tu padre os preocupéis demasiado.

Después del desayuno del sábado, Sorrel llamó a la amiga de Blaize.

–¡Hola! –contestó una voz encantadora al otro lado del hilo telefónico–. Blaize me avisó de que pensabas llamar. ¿Estás buscando un trabajo? ¿Quieres venir a verme?

–¿Cuándo te viene bien?

–Los sábados cierro la tienda a las dos –dijo Marta–. Si tienes tiempo, podrías venir a verme a esa hora, para que te lo enseñe todo y podamos charlar.

Sorrel aceptó, pensando que una simple entrevista no la comprometía a nada.

La tienda estaba enclavada en un edificio viejo, pero recientemente reformado, en pleno centro de la ciudad. Dentro, todo era muy espacioso. Una mujer con una niña de unos cuatro años salió de un probador, con varias prendas en la mano y se dirigió al mostrador. La joven mujer que lo atendía era alta y tenía la piel de un lustroso color café, lo que hizo pensar a Sorrel en una posible ascendencia maorí, mezclada con sangre europea.

–Quiero esto y esto –dijo la niña, muy seria.

Su madre dudó, estudiando las etiquetas de los precios.

–Solo veníamos a por una falda –dijo.

–Por favor, mami. Por favor, por favor, por favor…

–Creo que no debemos…

La vendedora sonrió y ofreció rápidamente una solución:

–Si se lleva dos prendas, puedo hacerle un descuento. Déjeme ver… –Sorrel reconoció la amable voz de la persona con la que había hablado al teléfono. Cuando ofreció un precio total, la madre se resignó.

–De acuerdo –dijo con una sonrisa.

Una vez empaquetadas las prendas, la niña dio las gracias muy amablemente y Marta las escoltó hasta la puerta.

–Tú debes de ser Sorrel, ¿no? –preguntó a continuación.

–Sí. ¿Puedo ayudar en algo?

–Gracias, pero no es necesario; ya vamos a cerrar. Yo soy Marta –añadió la dueña de la tienda alargando la mano, que Sorrel estrechó.

Hicieron una visita a la tienda, incluidos el almacén y la oficina.

–Mi ayudante es muy competente, pero demasiado joven. Quiero que se ocupe de la tienda alguien un poco mayor y con más experiencia. Es una pena que no puedas conocer a Poppy hoy, pero estaba muy acatarrada y la he mandado a casa.

–Blaize me dijo que querías concentrarte en el diseño de la ropa.

–Y también voy a necesitar más tiempo para atender a mi hijo. Por el momento, yo diseño todo lo que vendemos, pero no excluyo la posibilidad de traer prendas de calidad de firmas de reconocido prestigio, por lo que habrá que atender a nuevos proveedores. Además, creo que quiero tener familia numerosa, por lo que voy a necesitar a una persona que se haga cargo de la tienda. Y mi marido quiere que abramos otras sucursales en la zona metropolitana.

–Yo nunca he trabajado con ropa infantil –le advirtió Sorrel.

–Blaize me dijo que estabas a cargo de la sección de ropa femenina en unos grandes almacenes de Melbourne, así que conoces el medio. Al principio, yo me ocuparé de seleccionar las colecciones. Aunque te parezca que el negocio es pequeño, la verdad es que hemos tenido mucho éxito y cobramos abundantes beneficios. ¿Te gustan los niños?

–Sí, casi todos –muchas de sus amigas en Australia tenían hijos y ella había echado en falta tener una familia propia en numerosas ocasiones.

–De vez en cuando nos llega algún mocoso mimado, pero en general, todos nuestros clientes son un encanto –rio Marta.

Sorrel le explicó la situación de Rhoda.

–No creo que haya ningún problema si quieres tomarte unos días libres cuando la operen –repuso la diseñadora.

El salario que ofreció a Sorrel no era tan alto

como el que había percibido en Melbourne, pero teniendo en cuenta el cambio de moneda, tampoco había tanta diferencia.

–Tómate tu tiempo para pensarlo –ofreció Marta.

–No es necesario –respondió Sorrel–. Acepto.

Con la tremenda preocupación que sentía por su madre, Sorrel había estado a punto de olvidar que tenía una cita con Craigh Cassidy para ir a ver una obra de teatro esa noche. Sintió la tentación de llamarlo para cancelarla, pero de pronto recordó la advertencia de su madre, que no deseaba que todo el mundo estuviera constantemente pendiente de ella, y decidió arreglarse con esmero para salir con Craigh.

Pasaron una velada muy agradable, y él depositó un beso sobre sus labios cuando la llevó de regreso a casa.

Al día siguiente, Rhoda contestó el teléfono y apareció por el salón, mirando a Sorrel.

–Es Blaize –le dijo con reproche–. Llamó anoche mientras estabas en el teatro.

Capítulo 5

MARTA me llamó ayer –dijo Blaize–, para darme las gracias por el contacto. ¿Te interesa el trabajo? Va a ser diferente de lo que estabas acostumbrada a hacer…

–Será un cambio, y tendré que aprender cosas nuevas, pero estoy deseando ponerme en marcha. Supone todo un alivio tener a una sola persona a mi cargo. Las políticas de personal de las grandes empresas son complicadas y un poco aburridas.

–Me alegro. Tu madre me ha dicho que está bien y tu padre cree que se está portando estupendamente, pero… tú ¿qué opinas?

–No quiere que nadie se preocupe por ella –repuso Sorrel bajando la voz–. Prácticamente me ha dicho que me quite de en medio.

–Rhoda es una persona muy fuerte. Me temo que lo que pasa es que no quiere ceder las riendas de su propia vida, por mal que se encuentre.

–Eso mismo pienso yo, y creo que es lo mejor.

–Es comprensible.

–Creo que estoy empezando a entenderla mejor.

–Hay que respetar sus deseos, pero no olvides que en el fondo puede estar acobardada.

–Mi padre y yo estamos pendientes de ella, pero no queremos agobiarla.

El día en que Sorrel empezó a trabajar, Marta le presentó a su ayudante, que resultó ser una atrevida muchacha de diecisiete años con el pelo naranja atado en lo alto de la cabeza. Llevaba unas medias negras de rejilla, una camiseta de rayas amarillas y blancas y una minifalda naranja. Todo ello sobre unos tacones de aguja de doce centímetros.

–Esta es Poppy –dijo Marta–. Los niños la adoran.

Sorrel lo entendió perfectamente nada más verla. Parecía recién salida de un cuento de hadas.

Se habituó rápidamente a las rutinas de la tienda, y todas las noches llegaba a casa cansada, pero estimulada.

Unos amigos la invitaron a una cena y le pidieron que trajera a un acompañante, por lo que llamó a Craigh. Cuando él le dio el habitual beso de buenas noches, cálido y agradable, ella se lo devolvió, aunque luego se retiró con cierta brusquedad.

–¿Pasa algo? –preguntó él.

Ella negó con la cabeza, pero no contestó.

–Has estado distraída toda la noche. ¿No estarás pensando en cómo decirme que no quieres volver a verme?

–En absoluto –Craigh era un hombre encantador, poco exigente y muy considerado. No era culpa suya que ella no pudiera evitar comparar sus besos con los de Blaize. Seguramente, con el paso del tiempo podría llegar a aceptar las pretensiones de Craigh en serio.

Ian acompañó a Rhoda al médico el día que iban a darle los resultados de la autopsia. Luego, llamó por teléfono a la tienda para hablar con Sorrel.

—Hay lesiones que necesitan una intervención quirúrgica, pero la buena noticia es que no parece nada maligno.

Desbordante de alegría, Sorrel colgó el teléfono y rezó una plegaria de agradecimiento en silencio, antes del regresar al mostrador para ayudar a Poppy. Fue un día muy atareado y, cuando su padre volvió a telefonear para decir que iban a salir a cenar para celebrar las buenas noticias, ella declinó la oferta de unirse a ellos. Estaba cansada y tenía que poner al día los libros de cuentas. Después de despedirse de Poppy, se quedó en la tienda hasta bien entrada la noche.

Cuando llegó a casa, el teléfono estaba sonando. Soltó el bolso sobre la mesa del vestíbulo y contestó. Era Blaize.

—¿Sorrel? ¿Qué han dicho los médicos?

Ella se lo contó.

—Saluda a tu madre de mi parte —pidió él—, y dile que estoy pensando en ella.

—Lo haré, pero no está en casa en estos momentos. Mi padre se la ha llevado a cenar para celebrar las buenas nuevas. Yo acabo de entrar por la puerta.

–Entiendo. ¿Has estado celebrando tú algo también?

–He estado trabajando.

–Es tarde.

–No me digas que nunca trabajas de noche.

–Sabes que sí lo hago –dijo él riendo.

–Yo lo voy a celebrar con un vaso de cacao y me voy a meter en la cama.

–De acuerdo, mensaje recibido.

–No era ningún mensaje.

–¿No? Dicen las malas lenguas que te estás acostando muy tarde últimamente.

–¿Qué?

–Que estás saliendo mucho con Craigh Cassidy.

–Hemos salido juntos unas cuantas veces –dijo ella, manteniendo la calma–. Pero no se puede decir que lleve una vida disoluta. Me gusta mucho ese hombre –añadió temerariamente.

–Me alegro por él –comentó Blaize después de una pausa–. Dile a tu madre que iré a verla muy pronto –dijo a modo de despedida, antes de colgar el teléfono.

Sorrel no estaba en casa cuando él vino a visitar a Rhoda; había pasado la velada en una fiesta para niños organizada por Marta, pero deseó que él imaginara que había salido de nuevo con Craigh. No estaba segura de por qué, pero tampoco se detuvo a analizar el sentimiento.

Cuando operaron a Rhoda para extirparle las zonas dañadas de los pulmones, el cirujano les dijo a Ian a y Sorrel que todo estaba bajo control y que no esperaba que surgiera ningún tipo de complicación. Durante la tarde, cuando Rhoda se despertó de la anestesia y sonrió ante las flores que le habían llevado, Ian mandó a Sorrel a casa. Ella hubiera deseado quedarse, pero comprendió que sus padres necesitaban estar un rato a solas.

Cuando llegó a casa, el contestador estaba parpadeando. Había dos mensajes de Blaize y uno de la hermana de su madre que vivía en Southland. Primero llamó a su tía y luego a Blaize.

En casa de Blaize se activó el contestador y ella dejó un breve mensaje, con una sensación que estaba a medio camino entre el alivio y la decepción. Sorrel deambuló por la casa, algo inquieta, y cuando estaba en la cocina preparándose un bocadillo, sonó el timbre de la puerta.

—Iba de camino de casa —dijo Blaize—, pero vi que había luz en la ventana.

—Te dejé un mensaje —dijo ella, apartándose automáticamente para dejarlo entrar en el vestíbulo—. Ibas para casa… ¿desde dónde? —su casa no estaba en el camino que Blaize tenía que recorrer desde la oficina.

—Desde la casa de Cherie. Oí tu mensaje a través del móvil. Debéis de estar tremendamente aliviados.

—¡Desde luego! —corroboró Sorrel, con lágrimas en los ojos.

—¿Te encuentras bien?

—Sí —repuso ella, dándose la vuelta.

Pero antes de que pudiera hacerlo, él la tomó por la mejilla y la obligó a mirarlo. Nuevas lágrimas acudieron a su ojos.

–¡Sorrel! –exclamó Blaize, abrazándola con todas sus fuerzas.

Ella hizo una tentativa de resistirse, pero pronto se abandonó al cálido consuelo de esos tiernos brazos, dejando que la cabeza descansara sobre uno de sus hombros y aceptando que él le acariciara el pelo.

Cuando cesaron las lágrimas, levantó una mano para secarse las mejillas y él la soltó un poco, pero no del todo.

–Lo siento –dijo Sorrel con voz temblorosa–. No se por qué lloro, ahora que ya sabemos que todo ha ido bien.

–Necesitas descargar la tensión de las últimas semanas –aseguró Blaize, sacando un pañuelo del bolsillo para secarle las lágrimas con sus propias manos, como si se tratara de una niña.

–Eres el único hombre que conozco capaz de sacarse de la manga un pañuelo limpio en una situación como esta –dijo ella con una tímida sonrisa, quitándoselo de la mano para sonarse la nariz.

–Lo llevo siempre para atender a las damas llorosas –contestó él, devolviéndole la sonrisa y haciéndola reír entre dientes.

–Lo siento –dijo ella de nuevo–. Me lo quedaré para lavarlo.

–¿Te encuentras mejor?

–Eso creo. Gracias.

–Ya te lo he dicho; si os puedo ayudar de alguna manera...

–¿Te apetece tomar un café? –ofreció Sorrel.

–Yo lo prepararé. ¿Por qué no te sientas aquí y descansas un poco?

–No, te acompañaré a la cocina. Me estaba preparando un bocadillo.

Blaize la hizo sentarse en la mesa de la cocina, puso el café, terminó de preparar el bocadillo y se lo colocó sobre un plato frente a ella.

–Necesitas tomar algo más sustancioso que eso.

–Será suficiente. ¿Has cenado?

–Sí.

Con Cherie, supuso Sorrel.

–¿Cómo está Cherie?

–Bien –contestó él con un tono cortante que no admitía mayores indagaciones. Sirvió dos tazas de café y se sentó junto a ella.

–¿Cuándo regresan tus padres? –preguntó Sorrel, intentando evitar de nuevo el llanto.

–La semana que viene. No los he llamado para explicarles lo de tu madre.

–No tiene ningún sentido arruinarles las vacaciones.

–Eso mismo he pensado yo. ¿Te arrepientes de haber dejado tu trabajo en Australia?

–No. Me lo paso bien en la tienda infantil. Los niños son muy divertidos, y me encantan los diseños de Marta.

–Así que has decidido quedarte.

–Ya he quemado las naves.

–Cómetelo –dijo Blaize de pronto, dándose cuenta de que ella no había tocado el bocadillo–. Te estás quedando tan delgada como tu madre, y no te sienta nada bien.

–¡Qué amable!

–No seas tonta. Nos conocemos desde hace tanto tiempo que no creo que eso tenga la menor importancia.

–¿Me echaste de menos cuando desaparecí? –preguntó ella sin habérselo propuesto. Sin embargo, allí sentados los dos a solas, como en los viejos tiempos, parecía ser un buen momento para las confidencias.

–Claro que te eché de menos –repuso él al fin–. Habías formado parte de mi vida desde que cumplí los seis años. ¿Y tú?

–No sabía cuánto hasta que te vi de nuevo.

–¿Qué quiere decir eso exactamente?

–Como bien has dicho, hemos estado juntos desde que éramos niños. Cuando me fui a Australia, supe lo que era la soledad por primera vez.

–Pobrecita. Estoy seguro de que no duró demasiado tiempo.

–Hice amigos. ¿Aún estás enfadado conmigo?

–No creo que estar enfadado sea de mucha ayuda y, desde luego, no voy a aprovechar tu momento de debilidad para echarte las cosas en cara. No podrías defenderte.

–No quiero defenderme, Blaize.

–Eso demuestra lo mucho que has cambiado –repuso él con una sonrisa–. Cuando eras pequeña siempre querías llevar la razón, aunque todos supiéramos que estabas equivocada.

–Ya no soy una niña.

–No, desde luego, en absoluto –aceptó él perdiendo la sonrisa.

Una insidiosa tensión había sustituido a la amistosa camaradería de unos minutos antes. Sorrel tomó una cuchara y removió el café.

–¿Vas en serio con Craigh?

–Aún no lo sé. ¿Vas tú en serio con Cherie?

–Sí.

Ella sintió como si alguien la hubiera golpeado sobre el pecho y tardó unos segundos en recuperar la respiración.

–¡Qué maravilla! –exclamó cuando pudo articular palabra–. No es fácil encontrar a una persona que encaje con uno.

–Aún no le he pedido que se case conmigo –dijo él con impaciencia.

–¿Pero te lo estás pensando?

Él no respondió.

–No debes dejar pasar el tiempo; puede que ella se canse de esperar –dijo por fin Sorrel ante su mutismo.

–¿Ese es tu consejo?

–Estoy segura de que no necesitas el consejo de nadie –repuso ella encogiéndose de hombros–. Y yo no soy la persona mejor cualificada para hacerlo.

–No, no lo eres –dijo él con tono sardónico.

–No creo que Cherie sea capaz de plantarte ante el altar. Es evidente que está totalmente enamorada de ti.

–Pareces muy segura de ello –dijo él frunciendo el ceño.

–Tengo ojos en la cara.

—¿Te has arrepentido alguna vez de lo que hiciste?

—A veces. Separarme de todo y de todos resultó bastante… traumático, pero tenía que seguir mi propio camino, por primera vez en la vida.

—Nunca fuiste una persona débil, Sorrel.

—No sabía qué tipo de persona era. Siempre me había sentido tan protegida… Tenía que alejarme de mis padres… y de ti para poder empezar a conocerme. Me gustaría que lo entendieras.

—Inténtalo.

—Lo intenté. Pero no me hiciste caso.

—Pero ahora sí te lo hago.

—Lo que… lo que nosotros sentíamos el uno por el otro no era suficiente para fundar un matrimonio.

—¿Por qué no? El hecho de conocernos de toda la vida me parece el mejor punto de partida posible.

—¿Y qué hay del amor?

—Sabes que te amaba —contestó él con el ceño fruncido de nuevo—. Siempre te he amado.

—¡Como a una hermana!

—En absoluto —arguyó él—. Siempre he sabido que no eras mi hermana. Al principio solo eras una pequeña a la que todo el mundo adoraba. Luego, empezaste a sonreír a la gente y te convertiste en un juguete viviente, y después un motivo de vergüenza delante de mis amigos. Cuando las hormonas empezaron a alterarme el organismo, eras demasiado pequeña para interesarme, pero llegó un día en que te transformaste en una preciosa adolescente y yo empecé a suspirar por ti.

–Mientras nuestros padres planeaban nuestra boda.

–¿Era eso tan terrible? En cualquier caso, es una exageración. No empezaron los preparativos hasta que nos hubimos comprometido.

–Hicieron todo lo posible por animarnos.

–Pensaban que era una buena idea. Pero si tú hubieras dicho que no querías comprometerte, nadie te hubiera obligado.

–Lo sé, pero había tal clima de expectación…. Todo el mundo parecía dar por hecho que nos casaríamos antes o después.

–Menos tú.

–Yo también. Hasta que vi cómo todo se me venía encima…

–Y sufriste una crisis de pánico.

–Yo deseaba… algo más.

–¿Más qué? ¿Más pasión? ¿Un caballero andante? Ya me dijiste que eras demasiado joven, y admito que no tuve ese detalle en cuenta. Al fin y al cabo, yo ya había vivido varias historias de amor para llegar a la conclusión de que todo era pura quimera.

–Alguien te hizo daño –adivinó Sorrel, recordando súbitamente los comentarios de su madre sobre una chica de la universidad.

–No hace falta que lo magnifiques; el dolor no me duró mucho tiempo. Solo era una etapa más en mi educación como persona adulta y me recobré con rapidez. Pero tú… eras casi una adolescente y ahora me doy cuenta de que te debería haber inundado de rosas y haberme puesto de rodillas para pedirte la mano. ¿Necesitabas que te cortejara?

–¡No es eso lo que quiero decir! –exclamó ella, desesperada por su falta de comprensión–. Simplemente no deseaba un matrimonio… tibio.

–Creí que ya había alejado esa idea de tu mente.

–No me refiero solo al sexo –replicó ella, tensa–. Y no esperaba a un caballero andante lleno de flores. Puede que fuera joven, pero no era tonta… al menos hasta que dejé que las cosas llegaran demasiado lejos antes de cancelar la boda. En cualquier caso –añadió bruscamente–, ahora estás con Cherie y me imagino que no ha sido la única desde que…

–No ha sido la primera, pero puede que sea la última.

–En ese caso –dijo Sorrel tomando la taza y dándose cuenta de que ya estaba vacía–, solo puedo desearte que seas feliz con ella. Pero… ¿se te ha ocurrido pensar que ella puede desear algo más de lo que tú estás dispuesto a ofrecer?

–Me ocuparé personalmente de que mi mujer no tenga motivo de queja.

Sorrel soltó una breve risotada. Sentía lástima por Cherie.

–¿Qué es lo que tiene tanta gracia? –preguntó Blaize con tono feroz.

–No es divertido. Es más bien triste. ¡Esa chica está locamente enamorada de ti!

–¿Y eso te parece catastrófico?

–No, si el amor es mutuo.

–¿Qué te hace pensar que no estoy enamorado de ella? –preguntó él con una mirada de advertencia.

–Espero que lo estés –dijo ella con brusquedad–, pero no creo que sepas lo que significa la palabra «amor».

–¿De veras? No tenía ni idea de que creyeras que soy un hombre de sangre fría. Quizá debería marcharme antes de demostrarte lo equivocada que estás –dijo Blaize, levantándose de la silla.

–¡Ya te lo he dicho! –exclamó ella–; ¡el amor no tiene nada que ver con el sexo!

–Te equivocas. Estar enamorado tiene mucho que ver con el sexo. Comprometerse a amarse durante toda la vida, en lo bueno y en lo malo, es algo mucho más amplio, pero el sexo forma parte de ello. Sin el sexo, la institución del matrimonio deja de tener sentido.

–Hay quien piensa que no lo tiene.

–No es mi caso. ¿Es el tuyo?

Sorrel negó con la cabeza. El matrimonio de sus padres había sido un importante punto de apoyo para ella antes de convertirse en una persona adulta. Tenía amigas que eran madres separadas y, aunque hacían todo lo posible para que sus hijos fueran felices, ella se había prometido a sí misma no crear una familia hasta que no encontrara al padre adecuado.

–No –contestó finalmente–. Te acompañaré hasta la puerta –dijo, tomando la iniciativa. Él la siguió.

–Me alegro de que tu madre esté bien. Mañana le haré una visita en el hospital.

–Estará encantada de verte.

Él le retiró un mechón de cabello que caía sobre su rostro, y acarició brevemente su frente con el dedo pulgar.

–Que descanses bien –dijo, antes de retirar la mano abruptamente para darse la vuelta y desaparecer en la oscuridad de la noche.

Capítulo 6

RHODA regresó a casa al cabo de diez días y, a la tarde siguiente, Sorrel estaba a punto de preparar una taza de té para ella, cuando llegó Blaize junto a sus padres.

–Acabo de recogerlos en el aeropuerto –le explicó a Sorrel–, pero mi madre ha insistido en venir a ver a Rhoda antes de dejar el equipaje en casa.

–Está sentada en el sofá del salón –dijo Sorrel, mientras saludaba a Vera, que se soltó de su abrazo inmediatamente para dirigirse hacia la habitación contigua.

–¡Rhoda! –exclamó– ¿Qué es lo que te has dedicado a hacer aprovechando mi ausencia?

Su marido la siguió, pero Blaize se quedó con Sorrel en el vestíbulo.

–Me llevaré a mi madre en cuanto pueda. No creo que Rhoda esté en condiciones de soportar una visita muy larga.

–Se habrá alegrado mucho de ver a tu madre –afirmó ella–. Además, se está recuperando muy deprisa.

–Tú también tienes mejor aspecto –comentó él, escrutándole el rostro y luego el cuerpo–. Pero sigues estando muy delgada.

–No todos podemos tener una apariencia impresionante –repuso ella, pensando en el voluptuoso cuerpo de Cherie, mientras se dirigía hacia el salón. Él la retuvo, sosteniéndola por un brazo.

–No seas tan melindrosa. Te has estado quedando cada día más delgada desde que supiste lo de la enfermedad de tu madre. Ahora que ya ha pasado todo, podrías hacer un esfuerzo para recuperar las ganas de comer.

–No hace falta que te preocupes por mí; sé cuidarme sola.

–Preocuparme por ti es un hábito. He estado pendiente de lo que te pasara desde que naciste.

Era verdad, pensó Sorrel, acordándose de la cantidad de veces que él la había levantado del suelo y la había consolado después de una caída.

–¿Qué estás pensando? –preguntó Blaize al verla ensimismada.

–Nada. Acabo de acordarme de que tengo el agua del té puesta en el fuego. ¿Te apetece un café?

–Sí, gracias.

–Traeré tazas para todos.

–¿Vas a quedarte en casa para cuidarla?

–Solo hoy, e incluso para eso he tenido que discutir con ella –dijo Sorrel, buscando el azúcar. Cuando se dio la vuelta, se encontró a Blaize más cerca de lo que imaginaba y casi le tiró el azúcar encima. Durante un instante de locura, pensó que él iba a besarla. Se dirigió hacia la nevera para sacar la leche, recriminándose a sí misma por las ideas fantásticas que se le ocurrían cada dos por tres sobre la masculinidad de Blaize. Después de una separación completa durante cuatro años, se sentía más impresionada por él que nunca, pero no podía abrigar ni la menor esperanza: Blaize iba a casarse con Cherie.

«Pero te ha besado apasionadamente», le dijo una voz interior. «Sí», se dijo, pero con furia, no con auténtico deseo. Ella lo había humillado en una ocasión y dudaba mucho que él fuese a permitirle que lo hiciese de nuevo.

Antes de que su marido y su hijo se la llevaran, Vera dijo:

—Tenéis que venir todos a cenar a mi casa en cuanto Rhoda pueda levantarse, Sorrel. ¿La semana que viene? Solo las dos familias, como solíamos hacer —añadió con una sonrisa un poco forzada. Obviamente se sentía algo incómoda al ver a la ex novia de su hijo después de cuatro años de ausencia, pero Sorrel comprendió que su propuesta era una oferta de paz.

—Nos divertiremos —dijo Rhoda—. ¿Verdad, Sorrel?

Ella miró a Blaize, que no parecía en absoluto complacido, pero compuso su mejor sonrisa y le dio las gracias a Vera.

Durante el día fijado para la cena, Sorrel intentó escabullirse, pero Rhoda insistió en que no aparecer sería una descortesía. Deseó que Blaize tuviera más éxito que ella a la hora de declinar la invitación, o que apareciera con Cherie colgada del brazo.

Cuando los tres llegaron a casa de los Tarnower, el coche de Blaize estaba aparcado en el garaje y fue él mismo quien les abrió la puerta. No había rastro de Cherie y Sorrel se sintió aliviada. Conocía esa casa tan bien como la suya propia y, después de unos instantes de tensión, comenzó a relajarse y a disfrutar de la compañía de los padres de Blaize, como estaba acostumbrada a hacer desde que era pequeña.

Blaize se mostró amable y civilizado, pero con frialdad. Sorrel acusó su actitud y evitó por todos los medios tener una conversación a solas con él, hasta que Vera propuso:

–¿Por qué no acompañas a Sorrel al jardín para que vea la nueva cascada, Blaize?

Durante un instante, ella temió que fuera a rehusar, pero él se limitó a encogerse de hombros, antes de levantarse y tomarla de la mano para llevarla hasta la balaustrada. Los padres de ambos los miraron alejarse, pero cuando cerraron la puerta detrás de ellos, Sorrel se libró de la mano de Blaize y dijo:

–¿Era necesario que aceptaras?

–No tenía alternativa. Además, te estabas quedando medio dormida.

–Hacía calor –musitó ella.

El jardín estaba más fresco y ella se dirigió hacia la zona ocupada por los magníficos árboles y los enormes helechos recién regados que creaban agradables zonas de sombra vespertina. El sol se estaba poniendo y todo estaba en calma. El aroma de unas rosas rojas la hizo detenerse un momento;

tomó una de ellas y se la acercó a la nariz, extasiada. Un pétalo cayó al suelo.

El padre de Blaize era un experto jardinero y su reino vegetal brillaba de salud. Cuando aún era una niña, Sorrel solía explorar los estrechos senderos, maravillándose ante la súbita presencia de árboles, arbustos y macizos de flores, y frente a la laguna llena de nenúfares y coloridos peces que se podía cruzar a través de un puente rústico. En una ocasión, Blaize había tenido que rescatarla, completamente empapada, después de haberse caído en el estanque. No se lo recordó. Él caminaba con las manos en los bolsillos, siguiendo sus pasos. Pasaron por debajo de un anciano sauce llorón, de cuya rama principal aún colgaba un desgastado columpio.

—¡Aún lo tenéis!

—Mi padre le cambia las cuerdas de vez en cuando; a mis sobrinos pequeños les encanta. Creo que todavía aguantaría tu peso.

Cuando Sorrel era pequeña, Blaize la había columpiado muchas veces. Parecía que había sido ayer.

—Es posible —repuso Sorrel—. Pero ya soy demasiado mayor para columpiarme.

Continuaron el paseo hasta llegar a una cascada construida sobre enormes bloques de piedra, que parecía llevar allí toda la vida. Sorrel se asombró de su belleza.

—Una bomba sube el agua hasta arriba desde el estanque —explicó Blaize—. Trabajamos de lo lindo para colocar las piedras.

–¿Echaste una mano?

–Sí. Lo hicimos entre mis primos y yo. Ya sabes, un asunto de familia –había un banco de madera junto a la cascada, que tampoco había estado allí cuando Sorrel vivía en Wellington–. ¿Quieres sentarte un rato?

Ella tomó asiento junto a él, consciente de su proximidad, e intentó relajarse dejándose mecer por el tranquilizante sonido del agua corriente y el suave silbido del aire que agitaba las hojas de los árboles. Se estremeció levemente al oír un aleteo en las cercanías. Blaize pasó un brazo por encima de sus hombros.

–No te asustes; es solo un tordo.

–Lo sé, no estoy asustada.

–Siempre has sido una persona fuerte a pesar de tu apariencia dulce y sensible.

–Sí, eso creo yo.

Blaize rio.

–La verdad es que es increíble que seas tan resistente a pesar de ser hija única. Todo el mundo te ha tratado siempre con mucho mimo, yo incluido.

–Tú también eres hijo único –le recordó ella.

–Es verdad, pero mis primos se ocuparon de dejarme bien claro que eso no tenía nada de especial.

–No se puede decir que hayan minado tu orgullo.

Él rio de nuevo.

–Tuve que aprender a valerme por mí mismo –Sorrel tembló–. Tienes frío –dijo Blaize–. Será mejor que regresemos –añadió, poniéndose en pie mientras pasaba una brazo alrededor de su cintura para ayudarla a levantarse. Ella apoyó una mano sobre su masculino torso para no perder el equilibrio y sintió cómo la boca de él acariciaba levemente una de sus sienes. Blaize cambió la postura del brazo y le rodeó los hombros.

–¿Qué pretendes, Sorrel?

–¿Yo? Nada.

–¿Nada? –repuso él con incredulidad, acariciándole el pelo, antes de guardarse la mano en el bolsillo–. Vamos –dijo poniéndose en marcha.

Pero Sorrel no se movió. No era tan estúpida como para no darse cuenta de lo que estaba pasando. Él la deseaba, pero estaba luchando contra ese sentimiento con todas sus fuerzas. La sensación de certeza alentó una punzada de simple orgullo femenino.

–¿De qué tienes miedo, Blaize? –se oyó decir temerariamente.

Él la miró a los ojos.

–¿Miedo?

–¿Por qué no haces lo que estás deseando hacer, en vez de culparme a mí por tus sentimientos?

Blaize se quedó mudo de asombro, momentáneamente incapaz de reaccionar.

–Si lo hiciera –dijo al fin–, te aseguro que empezarías a tener razones para temerme.

Sorrel inclinó la cabeza en un ángulo desafiante. La situación era peligrosa, pero muy excitante. La tensión que se había creado entre ambos al cabo de cuatro años de abrupta separación estaba empezando de nuevo a hacer acto de presencia.

–Excusas –se burló ella–. No me das ningún miedo, lobo feroz.

Su breve risotada pareció un gruñido.

–No sabes a lo que te expones, pequeña Robin de los Bosques.

Sorrel rio.

–Ya no soy la niña pequeña con la que estabas acostumbrado a tratar –le aseguró.

Una nube oscureció el cielo y los ojos de él se volvieron inescrutables.

–Entonces, ambos somos un par de adultos, ¿no?

Sorrel sintió que su ritmo cardiaco se volvía más intenso y, a pesar del fresco de la caída de la tarde, una oleada de calor recorrió todo su cuerpo, dificultándole la respiración.

–Lo somos. Hace cuatro años pensaste que yo era lo suficientemente madura como para casarme contigo y te equivocaste. Pero ahora te aseguro que estoy perfectamente preparada para dejarme besar.

–¿Es eso una invitación?

–Tómatelo como quieras.

Él se mantuvo quieto durante unos segundos, mientras diminutas nubecillas de polen danzaban salvajemente en torno a ellos. Ella pensó que iba a darse la vuelta para iniciar el camino de regreso hacia la casa, pero de pronto su expresión pareció animarse.

–Ven aquí –dijo, acercándose a ella.

Sorrel sintió un estremecimiento de alarma. Quizá había llegado demasiado lejos, pensó, mientras él completaba la aproximación y tomaba su rostro entre las manos. Pero no deseaba volverse atrás.

Él la miró con un profundo deseo pintado en sus ojos de color gris acerado, al tiempo que ella separaba ligeramente los labios con anticipación. Finalmente, él inclinó la cabeza y la besó con una extraña mezcla de ternura y ferocidad que provocó un repentino estallido de júbilo en sus sentidos.

Instintivamente, Sorrel se apretó contra él y deslizó las manos por debajo de su chaqueta para acariciar el fuerte torso por encima de la camisa. Cuando él dio por finalizado el beso, el corazón de Sorrel batía apresuradamente en su pecho y la respiración de Blaize era jadeante.

—Maldita seas, Sorrel —dijo con un gruñido—. ¿Por qué has vuelto?

Sin dar tiempo a que ella pudiera articular una respuesta, volvió a besarla con una ansiedad tal que parecía que jamás iba a cansarse de hacerlo. Blaize acarició su cuerpo, desde las caderas hasta los pechos, deteniendo los pulgares sobre la erógena zona de los pezones. Sorrel se agarró a su cuello con fuerza y gimió roncamente, mientras él incrementaba la presión de la caricia. El beso se hizo más intenso, más sensual y, cuando Blaize decidió interrumpirlo, levantando la cabeza, una de sus manos permaneció posesivamente sobre su pecho.

—¿Era eso lo que querías? —preguntó con los ojos brillantes a la ruborizada Sorrel.

—Sí —admitió ella con voz ronca. Quería eso y más. Pero no allí, tan cerca de sus padres—. Tú también lo estabas deseando.

Él no lo negó.

–Me has ganado una batalla, Sorrel. ¿Estás satisfecha?

Ella rio con amargura. Estaba muy lejos de sentirse satisfecha y daba por hecho que él sentía lo mismo. Había sido imposible ignorar la evidencia física de su viril excitación.

–¿Y tú? ¿Estas satisfecho? –preguntó ella a su vez, jugando con fuego.

–No voy a contestarte, porque ya sabes la respuesta. ¿Cuándo has aprendido a seducir a un hombre?

–No soy una seductora –se defendió ella. Nunca había tratado a ningún hombre como acababa de tratar a ese.

–¿De verdad? Entonces, ¿estás preparada para continuar lo que acabamos de empezar? –preguntó él con tono hostil.

–No, si me odias.

Blaize lanzó un juramento por lo bajo.

–No te odio, Sorrel, pero no me gusta que me manipulen.

–Así que todo es culpa mía, ¿no?

–No. Se necesitan dos para hacer lo que hemos hecho y reconozco que yo he participado con ganas.

–Solo ha sido un simple beso –dijo Sorrel procurando adoptar las maneras de una mujer mundana y despreocupada–. Nada terriblemente importante.

–Ya. Y te sientes segura porque no podemos llegar hasta el final en el jardín de mis padres, ¿no es eso? Pues te advierto que en la próxima ocasión no voy a dejarte escapar tan fácilmente.

–¿Es eso una amenaza o una promesa?

Él apretó los labios, enojado, antes de soltar una breve carcajada.

–Te has propuesto seducirme hasta el final, ¿no? Cuando eras pequeña despreciabas tus juguetes hasta que otro niño se interesaba por ellos. ¿Es a eso a lo que estamos jugando?

–¡Ya no soy una niña mimada!

Él se mantenía de pie, con las manos en los bolsillos, pero no parecía relajado, tenía el cuerpo rígido y los hombros en tensión.

–Entonces, ¿qué ha significado este beso? ¿Un simple devaneo a la luz de la luna?

–¿Qué ha significado para ti?

Él guardó silencio y luego hizo un brusco movimiento para invitarla a precederlo hasta la casa.

–Nuestros padres deben estarse preguntando si nos hemos perdido.

Era una excusa insulsa y ella le dirigió una breve mirada de escéptica reprobación, antes de encaminarse hacia donde las respectivas familias los esperaban. Blaize se mantuvo prácticamente en silencio durante el resto de la velada y Sorrel se sintió aliviada cuando su madre empezó a mostrar síntomas de cansancio y su padre sugirió que ya era hora de retirarse.

Sorrel vio a Blazie unos días más tarde, en la fiesta de cumpleaños de Marta. Había pedido a

Craigh que la acompañara, dando por supuesto que Blaize también estaría invitado. Trató de no pensar en él, pero en cuanto llegó se puso a escrutar en vano el amplio salón en su busca. Finalmente, él hizo acto de presencia y Sorrel se dio cuenta inmediatamente de que iba solo. Los anfitriones lo saludaron con un beso en la mejilla y él echó un vistazo a su alrededor, deteniendo sus ojos sobre Sorrel, para luego pasearlos por su pareja y, posteriormente, dirigirle una segunda e intencionada mirada.

—Ahí está tu viejo amigo —dijo Craigh.

—Sí —repuso Sorrel volviendo deliberadamente la espalda a Blaize para dedicar una sonrisa encantadora a su pareja.

—No parece estar demasiado contento —comentó Craigh, que aún seguía observándolo.

—Ha venido solo. Puede que eche de menos a su novia —contestó Sorrel despreocupadamente.

—No estará envidioso de mí, ¿verdad?

—Por supuesto que no —le aseguró ella, aunque la simple posibilidad de que fuera cierto le había acelerado considerablemente el ritmo cardiaco, sonrojándola. Y, de pronto, sintió una poderosa presencia masculina detrás de ella.

—Hola, Sorrel. Hola…, Craigh —dijo la voz de Blaize.

Ella no tuvo más remedio que mirarlo frente a frente para devolverle el saludo, y se encontró con que él estaba mirando a su acompañante de arriba abajo de forma fiera y escrutadora. Ella se arrimó unos centímetros a Craigh en busca de protección y Blaize volvió a mirarla, con una mueca de desdén. Sus ojos parecían ocultar negros pensamientos y, como Craigh había dicho, no parecía estar demasiado contento.

–Craigh –dijo Sorrel–, ¿te acuerdas de Blaize?

–Claro que sí –respondió él pasándole un brazo por los hombros.

–¿Dónde está Cherie? –preguntó ella, reconfortada por el cariñoso contacto físico.

–No conmigo –repuso él abruptamente.

Sorrel se preguntó si llegarían a entablar una riña por su causa y se avergonzó al sentir una placentera descarga de adrenalina.

–¿Soportó bien la salida de la otra noche tu madre? –prosiguió Blaize–, ¿o la cansamos demasiado?

–Está perfectamente, dice que pasó un rato muy agradable con vosotros.

–Espero que tú también lo pasaras bien –añadió Blaize con voz suave y melodiosa–. El paseo por el jardín fue muy… entretenido.

Sorrel echó un vistazo a su rostro, pero su expresión parecía indiferente; solo el intenso brillo de sus ojos permitía suponer que estaba librando una batalla contra ella.

–Siempre he disfrutado de la compañía de tus padres –repuso Sorrel fríamente.

Blaize intensificó su mirada, mientras torcía la boca con un gesto burlón.

–Marta dice que está encantada de cómo organizas el trabajo de la tienda. Me ha prometido compensarme de alguna manera por el gran favor que le he hecho –Blaize se volvió hacia Craigh–. Quizá te haya contado Sorrel que fui yo quien las puso en contacto –volvió a mirar a Sorrel–. ¿Has visto a Elena últimamente? Ayer cené con ella y con Cam. Parece que el matrimonio les ha sentado bien.

–Es cierto, a Elena no se le cae la sonrisa de los labios. Aunque hay que reconocer que Cam es un tipo estupendo.

–¿Conoces a la prima de Sorrel? –le preguntó Blaize a Craigh con educación–. Asistimos a su boda hace un par de meses.

–Sí –contestó Craigh con la misma urbanidad–. Cenamos con ellos hace quince días.

–Craigh y Cam se entendieron a la perfección –intervino Sorrel–. Son unos apasionados de las carreras de coches.

–No se puede decir que sea uno de los deportes favoritos de Sorrel –comentó Blaize.

–Trataré de no aburrirla.

–Sorrel se aburre muy fácilmente. Cuando éramos pequeños estaba todo el tiempo cambiando de actividad –explicó Blaize–. ¿Eres piloto?

–No, me limito a ser espectador.

–Lo entiendo, es un deporte muy peligroso.

–No cl único –puntualizó Craigh secamente.

Se produjo un silencio denso entre ambos, mientras Sorrel contenía la respiración.

–Casi todos los deportes tienen un componente de riesgo –intervino Sorrel al fin.

Blaize no la miró, su vista seguía prendida de la del otro hombre.

–Se ha metido en líos desde que era niña.

–Ahora soy mucho más prudente –replicó ella.

–¿De veras? –preguntó él lanzándole una mirada escéptica–. Fue una suerte que estuviéramos al lado del estanque la otra noche. Siempre es bueno disponer de un cubo de agua cuando se prende el monte, ¿verdad?

Craigh miró interrogativamente a Sorrel, pero ella negó con la cabeza, componiendo una sonrisa tranquilizadora.

–Blaize está de broma. Nos conocemos demasiado bien –dijo, dándose cuenta demasiado tarde de que había caído en la trampa. Blaize llevaba media hora convenciendo a Craigh de que ellos dos se conocían de toda la vida, de que tenían los mismos amigos y de que sus familias era íntimas. No sabía cuál era la finalidad de todo ello, pero no le gustaba el cariz que estaban tomando las cosas.

Laurie apareció de pronto y agarró a Blaize por el hombro, con una expresión cálida y sonriente.

–Hola, Blaize. ¿Cómo estás? Acompáñame a tomar una copa.

–Claro –repuso él–. Os veré más tarde –se despidió de la pareja.

–¿Qué os pasaba? –preguntó Craigh en cuanto pudieron conversar en privado.

–Ese hombre y yo no nos gustamos demasiado –repuso Sorrel, dando un sorbo de vino.

–¿Os habéis peleado?

–No se puede decir que hayamos llegado a tanto. Es un tema… complicado, pero no me apetece hablar de ello.

Durante el resto de la velada, Sorrel consiguió olvidar a Blaize y concentrarse por completo en su pareja.

Cuando Craigh la llevó a casa, se detuvieron un instante en el porche y ella alzó el rostro a la espera del acostumbrado beso de buenas noches. Pero en esa ocasión, él se mostró vacilante.

–¿Qué hay entre tú y Blaize? –preguntó.

–Nada –contestó ella secamente.

–¿Pretendes convencerme de que esa tensión que se puede cortar con un cuchillo cada vez que os veis no significa nada?

Ella soltó un suspiro.

–Estuvimos… prometidos. Pero ya ha pasado mucho tiempo desde aquello y ahora no hay nada entre nosotros, aunque es posible que aún nos quede alguna cuenta pendiente –explicó, recordando la intensidad del último beso compartido.

–A lo mejor deberíais saldarla –sugirió Craigh–. Tengo la sensación de que mientras no lo hagáis, cualquier hombre que salga contigo se va a sentir como si estuviera luchando contra un fantasma.

Muchas horas más tarde, Sorrel yacía en la cama sin poder conciliar el sueño. Craigh se merecía algo más de lo que ella podía ofrecerle. Ese hombre le gustaba, pero Blaize ocupaba su corazón por completo. Cada vez que había intentado borrarlo de su mente, se había encontrado con un muro de desaliento y culpa. Y, para colmo, era imposible olvidar que se había presentado solo en la fiesta de Marta, que había comentado sin parar lo insepara- bles que ellos habían sido durante toda la vida de- lante de Craigh, y que incluso se había permitido el lujo de hacer un comentario oblicuo sobre el beso frente a la cascada. ¿A qué estaba jugando?

Capítulo 7

UN VIERNES, Blaize apareció por la tienda de ropa infantil, mientras Sorrel atendía a la madre de un par de niños. Vio cómo Poppy lo recibía con una encantadora sonrisa y escuchó palabras sueltas de la conversación. Al parecer, la hija de unos amigos de Blaize iba a cumplir años y él había pensado regalarle algo de ropa. Ese día Poppy llevaba el pelo naranja sujeto con un inmenso lazo de lunares azules, una mínima camiseta fucsia y una falda corta de raso de color azul fluorescente.

Cuando Sorrel terminó de atender a su cliente, Blaize se acercó a saludarla.

–Hola, Sorrel.

Poppy se dio la vuelta, sorprendida.

–Ah, ¿ya os conocíais? –preguntó, dándose cuenta de repente de que estaba de más–. Hum, tengo que revisar unas notas en el despacho –dijo antes de desaparecer.

–¿Quieres hacer un regalo? –le preguntó Sorrel, sintiéndose sola ante el peligro–. ¿Es niño o niña? ¿Cuántos años tiene?

–Es una niña de ocho años –repuso él, antes de inclinar la cabeza y añadir en voz baja, refiriéndose a Poppy–: ¿Dónde has encontrado a esa chica? Parece que acaba de escaparse de un circo.

–Poppy es una vendedora estupenda –la defendió Sorrel–. Y no he sido yo la que la he encontrado, ha sido Marta. Deja a los niños fascinados.

–No pretendía criticarla.

–Ya, y… ¿qué habías pensado comprar?

–Esperaba que tú me ayudaras a tomar una decisión. Su madre me ha explicado que ya ha entrado en la época de presumir y que quería algo de la tienda de Marta porque ya ha estado aquí en otras ocasiones. ¿Qué se ponen las niñas de ocho años hoy en día?

Sorrel le fue enseñando las cosas que podrían encajar con la edad de la niña y, finalmente, Blaize escogió un pichi de tela vaquera bordado con flores, un sombrero a juego y una camiseta amarilla.

–Esta es la talla que le corresponde, pero no habría ningún problema si hubiera que cambiarla –dijo Sorrel–. Tengo, además, unos calcetines amarillos que podrían completar el conjunto.

Él aceptó, sacó la tarjeta de crédito y la depositó sobre el mostrador mientras ella hacía el paquete.

–¿Te sigue gustando el trabajo?

–Mucho –contestó ella pasando la tarjeta de crédito por el terminal bancario. Al devolvérsela, sus dedos entraron en contacto, la tarjeta se cayó al suelo y Sorrel dio un respingo–. Pensaba que ya la tenías en la mano, discúlpame –dijo, al tiempo que Blaize se agachaba para recogerla y se la guardaba en el billetero.

–Vas a cerrar pronto, ¿no?

–Sí –repuso ella, mirando el reloj decorado con personajes de dibujos animados que colgaba sobre la pared.

Él dudó unos instantes.

–¿Te apetecería tomar una copa conmigo?

–¿Una copa?

–Ya sabes –explicó él armándose de paciencia–, beber un líquido refrescante, generalmente alcohólico. Hay un bar enfrente con buena pinta; podríamos sentarnos fuera.

–¿Por qué?

–Porque hará más fresco.

–No, me refiero a por qué quieres tomar una copa conmigo.

–Porque me has ayudado a elegir este regalo y te estoy agradecido. Además, sería una bonita manera de terminar una semana terrible.

–¿Qué ha pasado?

–Uno de nuestros mejores negocios está a punto de venirse abajo. Tengo que relajarme y preferiría no tener que beber a solas.

Ella se lo pensó durante unos instantes. Él no parecía tan desesperado como decía, pero a lo mejor estaba ofreciéndole una rama de olivo en señal de paz después de su último encuentro. La tentación era grande y se dejó llevar.

–De acuerdo, me reuniré contigo dentro de quince minutos.

Cuando Sorrel se sentó junto a Blaize en una preciosa mesa de hierro forjado adornada con un ramito de flores, comprobó que él ya estaba tomándose una cerveza y que había pedido para ella su bebida favorita, una sidra.

–Llegas dos minutos tarde –dijo él.

Ella le dirigió una seca mirada, preguntándose si la inocente invitación ocultaría segundas intenciones. Sin embargo, él pareció relajarse, apoyándose contra el respaldo de la silla, con la jarra de cerveza en la mano.

–¿Has visto a Craigh últimamente? –preguntó Blaize, ante el silencio de ella.

–No desde la fiesta de Marta, pero tenemos una cita el domingo.

Iban a asistir a un concierto de jazz y ella estaba muy ilusionada, pero por alguna razón tuvo el presentimiento de que su relación con Craigh no iba a prolongarse demasiado. Al despedirse después de la fiesta de Marta, Sorrel le había jurado que su corazón estaba libre, pero él la había mirado con escepticismo y solo la había besado en la mejilla.

–Qué suerte tiene Craigh –dijo Blaize mirando el contenido de su vaso con el ceño fruncido.

–Me halaga que me digas eso.

Blaize soltó una breve carcajada.

–¿Sabe que te dedicas a besar a otros hombres?

–Esa no es mi costumbre. Además, no soy de su propiedad.

–Entonces… ¿soy yo el único afortunado? –preguntó él con extraño brillo en los ojos.

–Lo nuestro ha sido un… error –en realidad había sido un extraordinario momento agridulce, pero no pensaba repetirlo.

–Y pensaste que no había peligro, ya que tus padres y los míos estaban tan cerca.

–No pensé en ellos.

–Entonces, ¿estás preparada para continuar lo que dejamos a medias?

Sorrel se sonrojó y sintió cómo una oleada de calor recorría todo su cuerpo.

–No sé qué es lo que quieres decir.

–Sí lo sabes, Sorrel. Estoy hablando de compartir una aventura de sexo caliente y apasionado sin ataduras. Algo que ambos deseamos desde aquella noche en el jardín de mis padres. Tú empezaste, así que no finjas timidez ahora.

–¿Y qué pasa con Cherie? –preguntó ella, humedeciéndose los labios.

Blaize chasqueó la lengua.

–¿Te estás preocupando por Cherie?

–Quizá deberías ser tú el preocupado, ¿no?

–No pienso hablar contigo de ella.

Sorrel se enojó y se sintió humillada.

–Si lo que piensas es que voy a convertirme en tu amante ocasional, olvídalo.

Sorrel hizo intención de levantarse para marcharse, pero él la agarró de la muñeca y la obligó a permanecer sentada.

–Espera. ¿Piensas que soy el típico hombre infiel?

Ella ya no estaba segura de qué tipo de hombre era, pero tampoco podía imaginárselo mintiendo a una mujer. Sorrel se quedó pensativa y él atacó de nuevo:

–He roto con Cherie.

Sorrel tragó saliva, atónita.

–Lo siento –dijo con tono poco convincente.

–Yo también lo siento –repuso él con expresión desolada.

–¿Se ha negado a casarse contigo?

–No.

–¿Se lo has pedido?

–No.

–Entonces, ¿qué ha pasado?

–Lo que ha pasado es que tú has aparecido de nuevo en mi vida. Tú y ese maldito beso en el jardín de mis padres. ¿Realmente piensas que sería capaz de salir con otra mujer después de ese beso? El primer beso tenía la excusa de la inesperada sorpresa, pero el segundo fue plenamente consciente, tanto por tu parte como por la mía. La verdad es que no puedo dejar de pensar en ti y que soy incapaz de salir con una mujer estupenda que no se merece que yo esté constantemente pensando en llevarme a otra a la cama. Como ves, la situación es complicada.

Sorrel se encontraba como si estuviera flotando en una nube. El sol se puso y se estremeció de frío. Debería sentirse excitada ante semejante confesión, pero había sido realizada con enojo y rabia. No implicaba un compromiso amoroso, sino una simple urgencia sexual.

–¿Qué tipo de mujer piensas que soy yo?

–Desde luego, no la muchachita inocente con la que iba a casarme. Y no se te ocurra negar que tú también me deseas, porque sé que no es cierto. Te lo advierto, en la próxima ocasión, los besos serán solo el comienzo.

A pesar de todo, Sorrel no pudo evitar que su cuerpo respondiera a las insinuaciones libidinosas de su compañero de mesa. Sin embargo, sabía que las cosas no deberían plantearse en términos puramente lujuriosos; lo que ella deseaba era contar con el amor de un hombre y formar una familia.

–Puede que no haya una próxima ocasión. ¿Qué te hace pensar que puedes agarrarme por los pelos y meterme en tu cama?

–Es necesario que resolvamos esto juntos, Sorrel –contestó él con tono relajado–. Lo sabes tan bien como yo. No estoy dispuesto a echarme atrás ahora y tampoco pienso compartirte con ningún otro hombre. Líbrate de Craigh. Me estorba.

–¡No me des órdenes!

–No te lo voy a pedir por favor. Ya hemos sobrepasado la frontera de las buenas maneras. Líbrate de él.

–No pienso organizar mi vida de acuerdo con tus intereses. En lo que a mí respecta, puedes desaparecer y no volver nunca más –dijo, levantándose sin que Blaize hiciera nada para impedirlo–. Gracias por la copa –añadió forzadamente, llena de ira.

Una vez a solas en la calle, se detuvo para tomar aliento, intentando decidir si era mejor tomar el tren como hacía habitualmente o esperar a un taxi. Pero no había ningún taxi a la vista, así que empezó a caminar hacia la estación hasta que una potente mano la agarró por el hombro.

–Te llevaré a casa –dijo Blaize.

–No, gracias –contestó ella intentando desasirse.

–No te has traído el coche, ¿verdad?

–No.

No hubiera sido una idea muy afortunada, con los problemas de aparcamiento que había en el centro de la ciudad. Últimamente, había estado pensando que, teniendo en cuenta que su madre se estaba recuperando con rapidez, podría empezar a buscarse un apartamento propio desde el cual pudiera ir andando al trabajo.

–Te llevaré –insistió Blaize–. No puedo atacarte mientras conduzco, y cuando lleguemos allí tendrás a papá y a mamá para protegerte.

Sorrel se dio cuenta de que no podría resistirse sin montar un escándalo público.

–En el supuesto caso de que aún no te hayas dado cuenta, debes saber que soy una persona adulta –dijo rechinando los dientes–. Quiero que dejes de tratarme como si fuera idiota.

–Cuando dejes de portarte como tal.

El coche de Blaize estaba aparcado al lado de la acera, y él abrió la puerta del pasajero para que ella pudiera entrar antes de dirigirse a la del conductor. Sorrel se sorprendió de que hubiera conseguido aparcar en pleno centro de la ciudad a esas horas.

Recuperando la dignidad, ella se abrochó el cinturón de seguridad y mantuvo un terco silencio mientras él serpenteaba entre el tráfico. Blaize también guardó silencio, aparentemente concentrado en la conducción, aunque era un conductor experto que, probablemente, hubiera podido hacer el camino con los ojos cerrados.

Cuando llegaron a casa de sus padres, Ian se estaba bajando de su propio coche y los saludó con la mano.

–Hola, ¿qué tal estáis? No sabía que ibas a buscar a Sorrel, Blaize. Entras a tomar algo, ¿no?

–Gracias –dijo él.

–¡No! –gritó ella al tiempo.

Ian les dirigió una mirada de asombro.

–Solo entraré para saludar a Rhoda –dijo Blaize con soltura.

Sorrel no pudo protestar, pero se adelantó a los dos hombres y cuando llegó a la puerta de la casa les llevaba una considerable ventaja. Una vez dentro, se dirigió directamente a su habitación y no bajó hasta que no se vio obligada por las buenas maneras.

Blaize estaba cómodamente sentado en el salón de la casa, junto a sus padres. Los hombres bebían whisky y Rhoda un vino blanco.

–Ah, por fin apareces –dijo Rhoda–. Te estábamos esperando. Blaize se queda a cenar.

Sorrel le lanzó una mirada incendiaria que él acogió con una expresión de tranquila satisfacción.

–Rhoda ha tenido el detalle de invitarme, y como tu padre se ha empeñado en que me tomara un segundo whisky, creo que la idea de comer algo antes de ponerme delante del volante del coche es buena.

–¿Qué te apetece tomar, Sorrel? –preguntó Ian.

–Ya he bebido bastante con Blaize. Podéis quedaros aquí charlando tranquilamente mientras yo preparo la cena.

–Eso iba a hacerlo yo… –objetó Rhoda.

–Ni hablar –contestó Sorrel–. Blaize ha venido a verte a ti –insistió–. Quedaos aquí; me las puedo arreglar yo sola.

Sorrel había preparado todas las comidas desde que habían diagnosticado a su madre y, aunque Rhoda ya se estaba empezando a meter en la cocina, ella siempre la ayudaba.

Abrió la nevera, sacó los ingredientes que ya estaban preparados y en menos de veinte minutos tuvo un guiso de ternera listo para servirse. Puso el arroz a cocer, y estaba cortando un repollo para hacer una ensalada cuando oyó cómo se abría la puerta de la cocina e imaginó que sería su madre.

–Todo está bajo control. Vuelve al salón y atiende a Blaize.

–No tengo la costumbre de hablar conmigo mismo –dijo su masculina voz, divertida.

Sorrel estuvo a punto de tirar el repollo al suelo, pero lo retuvo a tiempo y se quedó paralizada, con la mente en blanco.

–Zanahorias –murmuró al cabo de unos segundos, concentrándose en pelarlas–. ¿Qué quieres?

–Creí que ya te lo había dejado bien claro –susurró Blaize, y soltó una risotada al ver la mirada llena de furia que ella le dedicó–. Lo mismo que tú deseas. Y estoy aquí porque tu madre me ha enviado a por un poco de hielo –aclaró, agitando su vaso.

–Sírvete tú mismo –dijo Sorrel, maldiciendo a su madre por insistir en darles nuevas oportunidades para estar juntos–. Pero, ¿no crees que ya has bebido bastante?

–Esto es ginger-ale –repuso él apoyándose sobre una mesa para poder mirarla a sus anchas.

Sorrel se concentró con denuedo en la tarea de rebanar el repollo, hasta que oyó el silbido del agua del arroz hirviendo. Se lanzó a rescatarlo antes de que fuera demasiado tarde, pero cuando llegó, la espuma humeante se estaba derramando por encima de los fogones. Blaize llegó al mismo tiempo.

–Déjame que te ayude –dijo él.

–No es necesario –repuso Sorrel, levantando la cacerola con la ayuda de un paño de cocina–. Tenía que haberme acordado de bajar el fuego.

Blaize se apartó cortésmente mientras ella limpiaba la cocina con una bayeta y ponía el arroz a cocer a fuego lento.

–Seguro que puedo ayudarte en algo –insistió.

–Sí, puedes marcharte y dejar de distraerme –sugirió ella con acritud.

–¿Distraerte? –preguntó él soltando una risotada mientras alzaba las cejas.

Ella le hizo caso omiso y se puso a trocear las zanahorias con enérgicos golpes de cuchillo contra la tabla de madera. Uno de los trozos saltó por los aires y cayó al suelo. Blaize lo recogió y ella se volvió hacia él, empuñando el enorme cuchillo con una mirada furiosa.

–De acuerdo, de acuerdo, ya me marcho –dijo con una mueca burlona, levantando las manos en señal de rendición–. No necesitas amenazarme con eso.

–No era mi intención –dijo Sorrel, resistiéndose a sonreír y poniéndose de nuevo a partir las hortalizas.

–¿Te han dicho alguna vez que se supone que las zanahorias son capaces de sentir dolor? –preguntó Blaize antes de abrir la puerta para marcharse.

En ese momento el movimiento del cuchillo era descendente; Sorrel se distrajo al oír el curioso comentario y, a continuación, sintió el agudo dolor de la afilada hoja clavándose en su dedo pulgar.

Capítulo 8

¡AY! –gimió Sorrel, llevándose instintivamente el dedo a la boca.

Blaize soltó una maldición y se plantó junto a ella en dos zancadas. Dejó el vaso sobre la encimera con brusquedad y le tomó la mano para inspeccionar el daño. Volvió a lanzar un juramento al ver cómo la densa y oscura sangre fluía desde la herida y, con la otra mano, abrió el grifo del agua fría para meter la mano de Sorrel debajo del chorro.

–¡Lo siento! –exclamó Blaize con el rostro pálido y los ojos cargados de preocupación–. El botiquín sigue en el baño, ¿no?

–Sí.

–¿Puedes quedarte sola mientras voy a por él? ¿No vas a marearte?

–Estaré bien, el corte es muy pequeño.

–Vuelvo en un instante –dijo él escrutándole el rostro, antes de depositar un beso sobre su mejilla y alejarse en dirección al baño.

Regresó a los pocos instantes, con una caja de color rojo que colocó sobre la encimera. El corte aún sangraba, pero Blaize consiguió detener la hemorragia con un trozo de gasa.

Sorrel observaba en silencio.

–Puede que necesites que te pongan puntos –sugirió él.

–No –contestó ella con firmeza–. Hay una cinta adhesiva especial para unir los bordes de la herida. Pónmela y luego véndamelo con gasa y esparadrapo –Blaize parecía dubitativo–. Hazlo. Yo no puedo manejarme con una sola mano.

Él se puso manos a la obra y el resultado fue más que aceptable.

–Sé que ha sido culpa mía –dijo Blaize sin soltar su mano.

–He sido yo, que me he distraído.

–Por eso, yo tengo la culpa de que te hayas distraído.

Ella se negó a seguir discutiendo. En realidad se sentía dichosa de que él la hubiera curado con tanta diligencia y cariño. Cuando ese hombre se enternecía, resultaba irresistible. Era más fácil enfrentarse a sus declaraciones de deseo sexual que a sus delicados cuidados. Él la besó en la palma de la mano antes de soltarla.

–Ahora no tendré más remedio que ayudarte con la cena –dijo Blaize–. Ese vendaje te va a inutilizar la mano.

Era cierto, pensó Sorrel, mientras él se iba a devolver el botiquín a su sitio, reflexionando sobre los estados de ánimo de Blaize. Desde que ella había regresado a Wellington, él se había mostrado casi siempre furioso, socarrón y provocativo, pero en cuanto Sorrel había tenido necesidad de que alguien la consolara por la enfermedad de su madre, él había cambiado inmediatamente de humor, para convertirse en el hombre más encantador del mundo.

Sorrel no sabía qué pensar. Hacía cuatro años, ella había echado de menos la pasión, aunque sabía que podía contar con su cariño de por vida. Y en esos momentos la situación había dado un vuelco de ciento ochenta grados, ya que él le ofrecía compartir una pasión salvaje, pero sin los lazos del amor. ¿Era demasiado pedir las dos cosas a la vez?

Entre los dos se las arreglaron para preparar una cena decente. Sorrel adoptó una actitud eficiente y Blaize siguió sus instrucciones al pie de la letra, sin dedicar ni un instante al juego de la seducción.

Rhoda se preocupó cuando vio el dedo vendado de su hija, pero Sorrel le quitó importancia y su madre pareció relajarse.

Cenaron, tomaron café y Blaize se marchó temprano.

—Acompáñalo hasta la puerta, Sorrel, cariño —ordenó Rhoda.

Tragándose la humillación de ser manejada por su madre como si fuera una niña, Sorrel hizo lo que se le pedía.

Una vez abierta la puerta, Blaize se detuvo un momento para mirarla.

—¿Hasta cuándo vas a seguir viviendo con tus padres?

—Voy a empezar a buscar un apartamento ya mismo.

–Podrías instalarte en mi casa –propuso Blaize con un toque de humor.

–¿Y meterme de lleno en un nido de víboras? No, gracias.

–Espero que encuentres un apartamento pronto.

–No te hagas ilusiones, no pienso invitarte.

Blaize rio.

–¿Ni siquiera a la fiesta de inauguración? –preguntó, tomándole la mano para acariciar suavemente su vendaje.

–Buenas noches, Blaize –dijo ella, soltando la mano.

Él pasó un dedo por la suave línea de su mejilla, mientras sus ojos la miraban de forma profunda y oscura.

–Buenas noches, Sorrel. Felices sueños.

Los sueños de Sorrel no fueron demasiado felices; estuvieron impregnados de confusas imágenes de pasión y furia. Al levantarse, se encontró cansada y enfadada consigo misma y con Blaize.

No podía permitir que él la culpara por su ruptura con Cherie. Pero tampoco podía negar que ella lo había incitado a besarla aquella noche en el jardín de sus padres. Sin embargo, no sería justo que ella se hiciera responsable de que él hubiera tomado la decisión de no casarse con una mujer a la que no amaba con todo su corazón.

Sorrel deseaba a ese hombre, pero no quería soportar sus enfados ni ser el centro de una especie de venganza sexual. No era justo y no estaba dispuesta a aguantarlo.

A media mañana, Sorrel regresó a la tienda después de haberse tomado un café, y se encontró a Poppy acunando a un bebé en brazos, mientras su hermano mayor, que parecía agitarse más que un pulpo, se probaba un pantalón de peto con la ayuda de su madre. Blaize observaba la escena desde un esquina.

—Tu amigo ha vuelto —informó Poppy.

Los sábados por la mañana solían ser momentos de mucho trabajo, y Sorrel apenas pudo echar un vistazo a Blaize antes de ser atrapada por otra madre ajetreada. Decidió ignorar su presencia hasta que él se acercó para saludarla durante una pausa.

—¿Cómo va la herida?

—Sobreviviré.

—Me alegro. ¿Qué vas a hacer esta tarde? Cierras a las dos, ¿no?

—Voy a buscar un apartamento.

—Buena chica.

—¡No lo hago por ti!

Blaize soltó una carcajada.

—¿Te has trazado ya un itinerario?

—Todavía no —contestó clla. Apenas había señalado un par de cosas en el periódico, y no había tenido tiempo para estudiarlo a fondo—. Aunque quizá debería comprarme un coche antes. La búsqueda sería mucho más fácil si no tuviera que pedir prestado el coche a mis padres, que siempre tienen cosas que hacer.

—Yo te llevaré.

–Gracias, pero…

–No me gustan los «peros», Sorrel. Piensa que los primeros en llegar siempre se quedan con los mejores sitios. Al menos, si vamos en coche, llegaremos antes.

–Entonces, ¿por qué no me prestas el tuyo?

–No soy tan altruista. Si quieres usar mi coche, tendrás que aceptar mi compañía.

–¿No te fías de mi manera de conducir?

–¿Fiarme de ti? –dijo él con expresión pensativa–. La confianza ha de ser un sentimiento mutuo.

Una mujer se acercó al mostrador con un niño pequeño en brazos.

–¿Tienen algo de la talla nueve que sea adecuado para una boda?

Blaize se hizo a un lado y, al cabo de unos instantes, abandonó la tienda. Pero allí estaba de nuevo a las dos, mientras Poppy cerraba la persiana metálica.

–¿Has comido? –le preguntó a Sorrel.

–He tomado algo a media mañana, estoy bien.

Poppy los estaba mirando con auténtica curiosidad.

–¿Adónde se supone que vais? –preguntó con la mayor frescura.

–A ninguna parte –murmuró Sorrel.

–A buscar un piso para Sorrel –dijo Blaize con voz tonante–. ¿Te gustaría acompañarnos?

–¡Me encantaría! –exclamó Poppy con los ojos brillantes de excitación–. Se me dan bien ese tipo de cosas. Mi padre es constructor y algún día trabajaré en su empresa.

¿Cómo había sido Blaize capaz de manejarla de esa manera?, se preguntó Sorrel irritada, mientras Poppy charlaba por los codos desde el asiento trasero del coche. Él no podía haber estado seguro de que Poppy aceptaría, pero una vez acordado el plan, ella no podía negarse sin montar una escena delante de su ayudante.

La primera casa que vieron fue decepcionante. Era un piso muy pequeño y las ventanas daban a un patio interior feo y con muy poca luz. A Sorrel le gustó el segundo piso que visitaron, pero Blaize le señaló una gotera en el techo y Poppy husmeó en los armarios antes de emitir su veredicto: había humedades.

–Te gastarás una fortuna en fontaneros y albañiles –afirmó–. Déjame el periódico –Sorrel aceptó los consejos con renuencia y cedió el diario a Poppy–. Encontraremos algo para ti –aseguró ella.

Poppy señaló varias cosas en el periódico y luego tomó prestado el teléfono móvil de Blaize. Hizo varias llamadas y compuso un itinerario coherente. A las cinco de la tarde encontraron un apartamento encantador de dos habitaciones, situado en la parte trasera de una casa que pertenecía a una anciana viuda. Estaba parcialmente amueblado y el salón tenía salida a un pequeño patio enlosado, separado del resto del jardín por unas frondosas parras colgantes. Sorrel se enamoró de él a primera vista, y hasta Poppy dio su aprobación.

La señora Grenshaw se había mostrado algo sorprendida ante la apariencia de la dependienta, pero se relajó considerablemente al enterarse de que ella no era la futura inquilina.

–Me pregunto si su marido tendría tiempo para segar el césped –dijo, después de aceptar la propuesta económica de Sorrel–. Aún soy capaz de arreglar las flores, pero…

–¡Blaize no es mi marido! –exclamó Sorrel.

–Ah, ¿tu compañero, quizá? No tengo prejuicios contra ese tipo de cosas.

–¡No! –gritó ella, molesta por la sonrisa de satisfacción que encontró en el rostro de Blaize–. El piso es para mí. Nosotros solo somos buenos amigos.

–Muy buenos amigos –puntualizó él.

La señora Grenshaw los miró dubitativa.

–Lo siento, me hubiera gustado alquilárselo a una pareja. Ya sabes, sería agradable tener a un hombre en la casa.

–Me encantaría venir de vez en cuando a cortar el césped –terció Blaize–. ¿Qué le parece los sábados por la tarde?

La señora Grenshaw parecía confusa.

–Soy perfectamente capaz de manejar una cortadora de césped –dijo Sorrel, hirviéndole la sangre por dentro, mientras lanzaba una mirada enfurecida a Blaize.

–¿Lo has hecho alguna vez? –preguntó él, evidentemente complacido.

No lo había hecho nunca, pero podría aprender. Ignorando a Blaize, le preguntó a la señora Grenshaw:

–¿Puedo dejar una señal ahora mismo?

En cuanto dejaron a Poppy frente a la puerta de su casa, Sorrel se enfrentó con Blaize.

–¿Qué demonios pretendes ofreciéndote a segar el césped de la señora Grenshaw?

–Querías quedarte con el apartamento, ¿no?

–Sabes que sí.

–Pues si la decisión de la propietaria dependía de que alguien cortara el césped…

–¿Qué es lo que te empuja a querer cortar el césped de una perfecta desconocida?

–¿Desde cuándo tú y yo somos perfectos desconocidos?

–¡No quiero que me siegues el césped!

–Yo sí. Además, ya es demasiado tarde. Se lo he prometido a la señora Grenshaw.

–Puedes volverte atrás.

–Lo siento, pero yo nunca me vuelvo atrás. Esa es tu especialidad.

Ella se sintió tan furiosa que estuvo a punto de propinarle un puñetazo.

–Otra vez con la misma cantinela. ¿Cuándo vas a olvidar el pasado?

Blaize frenó delante de un semáforo en rojo y se volvió hacia ella con una mirada furibunda.

–Cuando te meta en mi cama y estés entre mis brazos, desnuda bajo mi cuerpo, como deberíamos haber hecho hace ya demasiado tiempo. Cuando hagas el amor conmigo sin reservas y sin arrepentimiento. Cuando yo pueda disfrutar de introducirme en tu cuerpo, cálido y acogedor, y consiga que grites mi nombre al tiempo que alcanzas el éxtasis. Cuando vengas a buscarme para frotar tu piel con la mía, cuando tus preciosos pechos estén en mis manos y las tuyas alrededor de mi cuello. Solo de pensar en ello me vuelvo loco.

Sorrel estaba sin habla. La imagen gráfica que

él había evocado con pocas palabras era tan tremendamente erótica que se había quedado sin aliento. Por su mente cruzaron ideas no deseadas, y su cuerpo reaccionó de tal manera que se alegró de que él estuviera conduciendo y no pudiera mirarla.

Los coches de atrás pitaron porque el semáforo se había puesto en verde. Blaize la miró intencionadamente durante un instante y a continuación metió la marcha y apretó el pedal del acelerador.

Sorrel se mantuvo en silencio con los puños apretados, intentando recobrar una respiración pausada y hacer desaparecer el sonrojo de su rostro. Cuando llegaron a la casa de sus padres, ella estaba más tranquila y Blaize parecía haberse encerrado en sí mismo, aunque había un leve destello de deseo en sus ojos cuando ella se volvió para despedirse, antes de abrir la puerta del coche.

–Gracias por tu ayuda –dijo sinceramente.

–Ha sido un placer –repuso él algo más animado–. La joven Poppy es toda una joya. Creo que, a última hora, la señora Grenshaw la hubiera aceptado como inquilina sin el mayor reparo.

Sorrel rio.

–Exageras.

–Te advierto que no exageraba hace unos minutos, Sorrel. La escena que te he descrito va a suceder.

Blaize tenía la desconcertante costumbre de cambiar de conversación sin el menor esfuerzo, pillándola con la guardia baja.

–¿No crees que yo también tengo algo que decir sobre ese tema?

–Puedes decir todo lo que quieras –repuso él con tono burlón–. Pero sabes tan bien como yo que no podemos eludir lo inevitable para siempre.

Él parecía convencido de lo que decía y quizá tenía razón. Ella no podía negar su propio deseo, pero el mero hecho de sentirlo la hacía mostrarse más precavida. El sexo no era suficiente para ella y eso era lo único que él estaba proponiendo. Puro sexo, sin promesas, sin futuro, sin señales de un amor verdadero para toda la vida.

Él ya le había ofrecido todo eso hacía cuatro años y ella lo había rechazado. No podía culparlo por mostrarse cauteloso, pero… ¿y si su oferta solo perseguía dominarla físicamente como pura venganza por haberlo abandonado ante el altar?

–¿Qué quieres de mí, Blaize? –preguntó.

–¿No te lo acabo de decir? –repuso él con una risotada áspera–. No me tengas miedo; no voy a forzarte a hacer nada que no quieras hacer. Que pases un buen día mañana –añadió a modo de despedida.

¿Mañana? ¿A qué se refería? De pronto se acordó de que había quedado con Craigh.

–Lo intentaremos –respondió.

–Dile de mi parte que disfrute de tu compañía mientras pueda.

Sorrel no transmitió las palabras de Blaize a Craigh. Intentó concentrarse en el placer de la música y en la agradable compañía de su pareja. Él la llevó a cenar a un precioso restaurante campestre donde había reservado una mesa íntima junto a una espectacular cascada de agua natural. La velada transcurrió de forma tranquila y placentera y acabó con un paseo por el puerto local, con el brazo de él sobre los hombros de ella, disfrutando de la vivificante brisa marina.

Cuando él le dio la vuelta para besarla, ella intentó responder con entusiasmo, pero no fue capaz.

–Tu corazón no está conmigo, ¿verdad, Sorrel? –dijo él.

–Lo siento, Craigh –repuso Sorrel con tono contrito, descansando la cabeza contra su torso.

–Yo también lo siento –afirmó él, separándola un poco para poder mirarla a los ojos–. Me gustas mucho, Sorrel. Pero no quiero enamorarme de una mujer que está pensando en otro hombre.

–No estoy pensando en nadie más –dijo ella mordiéndose el labio–. Todo aquello pasó hace mucho tiempo. Ahora soy una mujer libre.

–No me lo creo, y tampoco me da la impresión de que tú misma estés convencida de lo que dices.

–No puedo dejar mi vida en suspenso por causa de un… viejo error –pero tampoco podía implicar a Craigh, ni a cualquier otro hombre, en las consecuencias de sus propias equivocaciones.

–Intenta resolverlo –dijo Craigh–. Tómate tu tiempo y si, después de todo, sigues creyendo que eres una mujer libre, házmelo saber.

–¿Te estás despidiendo de mí?

–Te estoy dejando tiempo para que resuelvas tus problemas sentimentales, antes de que nosotros podamos entablar una relación más profunda. Creo que debes aceptar las señales de tu cuerpo y dejarte llevar por las emociones. Sé que no quieres regresar al pasado, y yo podría aprovecharme de ello, pero a la larga no podríamos evitar el conflicto, si es que lo hay. Por eso quiero que pienses sobre ti misma, antes de seguir conmigo.

Craigh había hablado con una claridad meridiana y sus palabras estaban llenas de sensatez y buenos propósitos. ¿Por qué no era capaz Blaize de mostrarse tan comprensivo y generoso?

—No quiero que pienses que me he estado aprovechando de ti —dijo ella—. Tenía la esperanza de que nuestra aventura tuviera un final feliz.

—Lo sé. Y te agradezco que hayas confiado en mí plenamente. Pero eso no basta —arguyó él, tomando sus manos y besándola en la frente—. Te llevaré a casa. Y una cosa más, si ese hombre no te trata como es debido, dile que tendrá que vérselas conmigo.

Capítulo 9

BLAIZE estaba en la puerta de la tienda cuando Poppy fue a cerrar el lunes. Sorrel escuchó cómo ella lo saludaba como si ya se tratase de un viejo amigo, antes de mandarle hacia la oficina, donde ella estaba anotando las últimas cifras del día.

–Poppy me ha invitado a entrar –dijo Blaize sacudiéndose la lluvia del cabello y los hombros. En la calle caía el típico aguacero otoñal.

–Ya lo he oído. ¿Qué quieres?

–Verte –repuso él escrutando su semblante–. ¿Lo pasaste bien con Craigh ayer?

–Estupendamente –repuso ella, sin sentirse obligada a explicar lo que había sucedido. No iba a darle la satisfacción de contarle que sus órdenes habían sido obedecidas, aunque había sido Craigh quien se había despedido de ella, y no al revés.

Suspiró con deleite al ver cómo Blaize palidecía y apretaba los labios, antes de adoptar una postura más relajada, con las manos en los bolsillos.

–¿Vas a volver a verlo pronto?

–No tengo por qué darte explicaciones sobre mi vida privada –le espetó–. Y te ruego que me disculpes, porque estoy ocupada –añadió, concentrándose en la pantalla del ordenador y tecleando el valor de las ventas.

–Volveré cuando hayas terminado –dijo él con serenidad.

Blaize se entretuvo charlando con Poppy y esperó hasta que Sorrel apareció con el bolso al hombro, dispuesta a marcharse.

–¿Para qué querías verme? –preguntó ella, resignada a tener que intercambiar unas palabras con él.

–Pensé que a lo mejor te gustaría que te llevara a casa.

Si cualquier otra persona le hubiera ofrecido llevarla a casa con ese clima, habría aceptado inmediatamente. Rehusar sería una tontería.

–¿Por qué no se lo has ofrecido a Poppy?

–Había quedado con su novio y, al parecer, yo no le llegó a la suela de los zapatos. Por la descripción que me ha hecho, debe de tratarse de un dios.

Sorrel no pudo evitar una sonrisa mientras descolgaba la chaqueta del perchero; ya había oído hablar de ese hombre en términos muy parecidos.

–Me preguntó cuánto tiempo tardará en darse cuenta de que es un dios con los pies de barro.

–Eres una cínica –la acusó él.

–Es muy joven y está enamorada.

–¿Sentiste alguna vez algo parecido por mí?

–Sabes que te adoraba cuando era pequeña. Y a los trece años me enamoré perdidamente de ti. Tuviste que darte cuenta.

–¿Darme cuenta? Estaba aterrado…

–No me tomes el pelo. Estabas harto de tener a

una inocente cría rondando a tu alrededor. Estuviste más de dos años sin dirigirme la palabra.

–Fueron tres años, exactamente. Yo tenía dieciocho y me resultaba muy difícil mantener mis hormonas bajo control. Tuve que controlar mi instinto masculino durante todo ese tiempo, y luego decidí no liarme contigo hasta que no fueras mayor de edad y pudiera proponerte un compromiso serio.

–¿Quisiste… liarte conmigo?

–Ya te lo dije el otro día. Desde que cumpliste los trece años, te convertiste en la mujer de mi vida. Pero decidí esperar a tu mayoría de edad para no complicarles la vida innecesariamente a nuestras familias.

–Pero ellos querían que nos casáramos. Bromeaban con el tema de nuestra boda desde que yo cumplí los cuatro años.

–Es cierto, pero las bromas se acabaron en cuanto llegaste a la adolescencia. Tanto tus padres como los míos me insinuaron que no podría haber nada serio entre nosotros hasta que llegara el momento de comprarte un anillo de compromiso.

–¡No tenía ni la menor idea! ¿Te lo dijeron abiertamente?

–No con las mismas palabras, pero el mensaje estaba muy claro.

Blaize echó un vistazo a su reloj de pulsera y metió un poco de prisa a Sorrel.

–Estoy mal aparcado y si la grúa se lleva mi coche, no tendremos más remedio que mojarnos los dos. Espérame en la puerta y pasaré a buscarte.

Cuando él vino, ella se escurrió dentro del coche sin apenas mojarse.

–¿Cómo has conseguido no empaparte? –preguntó.

–Me he puesto la chaqueta en la cabeza –respondió Blaize en mangas de camisa.

–Pero debes tener los pantalones mojados.

–Como bien dijiste tú el otro día, sobreviviré. Por cierto, ¿cómo va tu dedo?

–Bien, ya solo llevo una tirita –dijo ella, mostrándole la mano.

Sorrel hubiera tenido ganas de comentar con más detalle los sentimientos de ambos cuando aún eran tan jóvenes, pero el tráfico era caótico, lloviendo como estaba y a una hora punta, por lo que optó por dejar que Blaize se concentrara en la conducción. Cuando consiguieron salir del centro, él rompió el silencio.

–¿Cuándo vas a instalarte en tu nuevo apartamento?

–Aún no lo sé. Antes necesito comprar cosas para la cocina y también una cama.

–¿Necesitas ayuda? –preguntó él en tono de broma.

–No, gracias.

–Asegúrate de que sea… cómoda.

–Por supuesto.

–Y lo suficientemente grande como para que quepan dos.

Sorrel había pensado comprarse la cama más grande del mercado, porque había tenido una en Australia y no quería prescindir de ese lujo. Pero solo para molestar a Blaize, era capaz de comprar una cama individual.

Sorrel hizo la mudanza al sábado siguiente y tuvo que tomarse un par de horas libres por la mañana para que le llevaran la cama y una cómoda. También había comprado una vajilla y una cubertería. Y Rhoda la había provisto de cazos y cacerolas. La casa seguía medio vacía, pero Sorrel se entretuvo pensando en todas las cosas que iría comprando con el tiempo. Estaba sudando a chorros mientras cambiada de posición el sofá de color burdeos que la señora Grenshaw había dejado en el apartamento, cuando oyó que alguien llamaba a la puerta. Abandonó el sillón en mitad del salón y abrió.

Blaize la miró con las cejas alzadas, al verla tan congestionada por el esfuerzo.

—¿Qué demonios estabas haciendo?

—Trasladando muebles. Y tú, ¿qué haces aquí?

Él lanzó un juramento y no esperó a ser invitado para entrar.

—¿Qué muebles?

Habría sido inútil discutir con él. Sorrel conocía perfectamente su expresión de fiera determinación y le señaló el sofá con un ademán.

—¿Dónde hay que ponerlo?

—Frente a la cristalera del patio.

Blaize lo movió sin esfuerzo aparente, rechazando la ayuda de Sorrel.

—¿Algo más?

–No. Gracias.

–Si te propones seguir moviendo muebles, por favor, ¡avísame!

Sorrel puso los ojos en blanco.

–No necesito que me organices la vida –advirtió.

–¿Está tu madre totalmente recuperada ya?

–No me habría trasladado si no fuera así.

–¿Tienes ya los muebles del dormitorio?

Sorrel se ruborizó.

–No empieces a controlar mi vida otra vez. Ya he comprado todo lo que necesito.

–Me refería a si tenías que cambiar de sitio algo en el dormitorio –explicó él con una sonrisa divertida.

«Maldita sea», pensó Sorrel.

–Nada. Los transportistas me lo han colocado todo en su sitio.

–¿Vas a enseñármelo?

–No.

–De acuerdo, ya llegará el momento oportuno –replicó él con una sonrisa felina.

–Déjate de chulerías.

Él no respondió a semejante comentario; se limitó a enarcar una ceja y a mirarla con atrevimiento.

–¿Tienes ya una cafetera? Podríamos tomar un café después de que termine de segar el césped.

–¡No tienes por qué segar el césped! –exclamó ella, consciente de que, a pesar de ello, tendría que invitarlo a un café para agradecerle su ayuda con el sofá.

Pero él le hizo caso omiso y segó el césped en menos de veinte minutos. A continuación, se presentó de nuevo en el interior de la casa y se encaminó directamente hacia la cocina, precedido por Sorrel. Ella se armó de paciencia y sacó las tazas, la leche y el azúcar, mientras él conectaba la cafetera eléctrica. Aunque había compartido una cocina montones de veces con Blaize, se puso nerviosa y derramó el azúcar. Mientras lo limpiaba con la bayeta, la cafetera empezó a silbar y él sirvió el café en un par de tazas.

–Podríamos tomarlo en el patio, ¿no? –sugirió Blaize, levantando las tazas sin esperar respuesta para dirigirse a la pequeña franja de jardín que correspondía al apartamento. El olor del café se mezcló con el de la hierba recién cortada.

Bebieron en silencio durante un rato, observando el coqueteo de las abejas con las flores de un jazmín que se enroscaba en la verja que servía de separación con el jardín del vecino.

Blaize cambió de postura y sujetó la taza entre las manos, apoyando los codos sobre los muslos.

–Entonces, ¿ya has decidido qué vas a hacer con Craigh?

–No pienso hacer nada en absoluto.

Si ella esperaba una reacción colérica por parte de él, no la obtuvo. Blaize se limitó a concentrarse en el fondo de su taza, sin mover un solo músculo. De pronto, apuró el último trago y se puso de pie.

Sorrel se tensó, aprensiva, pero él se limitó a cruzar el patio para comprobar la estabilidad del emparrado. Luego la miró.

–Lo he hecho todo mal desde el principio –dijo–. Cuando apareciste, estaba a punto de ofrecerle a Cherie un anillo de compromiso. Es una mujer extraordinaria, capaz de colmar los deseos del marido más exigente. Es cariñosa, inteligente, amable y leal. Y está enamorada de mí, como pareces saber muy bien –añadió antes de hacer una pausa para mirar a su alrededor.

Preguntándose adónde iba a llevar todo eso, Sorrel se agarró con fuerza a la taza y esperó.

–Pero en ese momento llegaste tú y mi vida se convirtió en un auténtico caos –prosiguió él con tono acusatorio.

–¡Yo no tengo la culpa de nada! –se defendió ella.

–No, no la tienes, pero estabas allí y yo empecé a experimentar emociones casi desconocidas.

–¿Como cuáles?

–Celos, por ejemplo. Nunca antes había sentido celos de ti. Supe que eres mía desde que éramos pequeños.

–Siempre has estado convencido de que yo aparecería corriendo en cuanto tú chasquearas los dedos.

–Lo reconozco admitió él–. O al menos, creía que me pertenecerías desde el momento en que nos comprometiéramos. Porque jamás habríamos podido iniciar una relación seria antes; nuestros padres no lo hubieran aprobado.

–No creo que se hubieran sorprendido al enterarse de que nos acostábamos juntos antes de comprometernos; no son tan anticuados.

—Solo si había una boda en ciernes.

—Pero, después de prometernos, jamás intentaste tener una relación sexual conmigo antes de la boda.

—Ibas a ser mi esposa. Me pareció que la espera era… necesaria –dijo mirándola con interés–. ¿Te decepcioné? ¿Deseabas conocer los placeres del sexo antes de casarte?

—¿No te lo imaginaste?

Él levantó las manos en señal de rendición, soltando una risotada.

—Hubiera jurado por lo más sagrado que deseabas llegar virgen al matrimonio.

—No era tu caso, ¿me equivoco?

Él la miró con arrepentimiento y el corazón de ella bailoteó excitado.

—No, lo siento.

—Supongo que esa es otra de las nuevas emociones que estás experimentando desde mi llegada.

Blaize asintió con la cabeza.

—Cuando te marchaste, lo que sentí fue una profunda pena, un intenso dolor, después de la evidente sorpresa, la incredulidad y el desconcierto. Pero, cuando regresaste, me asaltó otro sentimiento distinto que había estado reprimiendo por mucho tiempo.

—La ira.

—Exacto. La ira, el enfado, la furia ciega, las ganas de estrellar algo voluminoso contra la pared. Desde que te vi, perdí la noción de la realidad, dejé de pensar con sensatez. Y lo peor fue que ese sentimiento se mezcló con las ganas de llevarte a la cama y hacerte el amor salvajemente. Aún estoy en esa fase.

Sorrel tragó saliva. Ella deseaba lo mismo, pero tenía miedo de las consecuencias.

–Traté de combatir mis emociones –prosiguió él–; traté de convencerme de que, una vez me acostumbrara de nuevo a tu presencia en Wellington, todo sería más fácil, pero no fue así, las cosas empeoraron. De repente me encontré inventando excusas para poder verte, intentando convencerme de que mi ansia se aplacaría con el roce, pero tampoco ha sido así.

Tampoco ella había podido quitárselo de la cabeza, a pesar de haberlo intentado. Su atractivo masculino, unido a los cada vez más frecuentes recuerdos del pasado, se había apoderado de ella.

–He hecho daño a Cherie –comentó el con una mueca de disgusto–, pero no hubiera sido justo engañarla, no se lo merece.

–Me has culpado de eso –dijo Sorrel con resignación.

–Sí, lo hice, pero sin fundamento. Solo trataba de convertir mi culpa en odio hacia ti. Quería hacerte responsable de mis equívocas emociones. Y, por eso, te debo una disculpa. Tú no has tenido la culpa de nada.

–Tú tampoco. Te equivocaste con ella, pero no pretendías hacerle daño.

–No por ello me siento menos culpable.

–Lo sé.

–Sí, supongo que lo entiendes. Cuando me abandonaste de aquella forma, debiste de sentir un cierto cargo de conciencia.

—Es cierto —corroboró ella.

—No fue nada divertido, pero ahora que yo he hecho lo mismo con otra persona, puedo comprender las dudas que te llevaron a tomar semejante decisión.

—Te estás volviendo muy tolerante —dijo ella temblando. Era la primera vez que él mostraba un signo de auténtica comprensión.

—Estoy tratando de superarme a mí mismo. No podemos iniciar una nueva relación hasta que no nos libremos del agobiante peso del pasado.

—¿Una nueva relación?

—Sabes que vamos a hacerlo, Sorrel. Ya te has resistido durante demasiado tiempo. Sea lo que sea lo que haya entre nosotros, creo que debemos resolverlo ya. Ya no somos niños y sabemos a los que nos enfrentamos.

—¿A una aventura amorosa?

—Si quieres decirlo de esa manera.

—Y… ¿qué dirán tus padres cuando se enteren?

—Eso no importa.

Tenía razón. Una relación sexual corta entre ellos crearía algunas tensiones familiares, pero todos lo olvidarían al cabo de poco tiempo.

—¿Qué pasa si yo me niego a tener una aventura contigo?

—Me deseas —gruñó él con autoridad.

—No es lo mismo —repuso ella alzando la barbilla.

—¿Quieres un anillo?

–No.

–Entonces, ¿qué es lo que quieres?

Amor, respeto, confianza, pensó Sorrel. La seguridad de que entre ellos había algo más que el puro sexo. Aunque el cuerpo de Sorrel pedía a gritos una satisfacción sexual, su mente no se conformaba. Pero todas esas cosas debían surgir espontáneamente; no se podían pedir. Y Blaize no estaba preparado para darle lo que ella deseaba. Y quizá no lo estuviera jamás.

–Nada –contestó al fin, humedeciéndose los labios.

–¿Qué significa eso? –preguntó él con la calma salvaje que precede al salto de un tigre.

–Creo que nunca podré olvidar el amor que sentí por ti cuando tenía trece años, pero eso no significa que esté dispuesta a acostarme contigo.

–Eso es muy fácil de decir –se burló él, encaminándose hacia ella con fiera determinación.

–¡Prometiste que no ibas a forzarme!

Él se detuvo delante de ella, le quitó la taza de café a la que seguía aferrada y, con un gesto sorprendentemente gentil, la levantó de la silla y la puso de pie. Sorrel no se resistió, consciente de que no lo conseguiría puesto que él era mucho más fuerte que ella.

–No lo haré –dijo él apretándole los hombros–. ¿Por qué no te dejas llevar por tus emociones? ¿Por qué luchas contra mí?

–Suéltame, Blaize –dijo ella con frialdad, cerrando los ojos.

Durante un instante, el apretón en los hombros

se intensificó y ella supo que él deseaba estrecharla entre sus brazos para doblegar su voluntad con la pasión de un exquisito beso. Pero, luego, soltó un juramento y la soltó.

—Te mereces una medalla a la fortaleza de carácter —dijo él con tono desabrido—. ¿Conoce Craigh tu faceta distante y altanera?

—Con él no hubiera sido necesario. Jamás se habría atrevido a…

—¿Qué? ¿Hablas con el verbo en pasado? ¿Le has dado el pasaporte?

—¡No! Fue él quién rompió conmigo.

—Que hizo… ¿qué? —preguntó Blaize, atónito.

—Me dijo que aclarara mis emociones antes de seguir adelante.

La expresión de Blaize pasó de la indignación al disgusto y, después, al enfado en cuestión de segundos.

—¡Qué propio de su excelente carácter! ¡Servirte en bandeja para que yo pueda devorarte!

—No fue así.

—Da igual. Lo importante es que, al menos, uno de vosotros ha tenido la suficiente sensatez como para admitir que lo vuestro no funcionaría.

—Dijo que me esperaría.

—¡Dios santo! ¡Un maldito caballero andante!

—Y también me dijo que si tú no me tratabas bien tendrías que vértelas con él —añadió Sorrel alzando la barbilla.

Blaize soltó una sonora carcajada.

—¡Estoy aterrado!

Apretando los puños, Sorrel contuvo las ganas de aporrearlo.

–Olvídate de Craigh –dijo él–. Esto tenemos que resolverlo nosotros solos. Dame una oportunidad, Sorrel.

Una oportunidad... ¿para qué? ¿Para tener una aventura rápida? ¿Para compartir la cama sin amor? ¿Para acabar con el corazón roto?

–Tengo miedo –musitó ella.

–¿De mí?

–No físicamente.

–No pretendo vengarme de ti ni castigarte, si eso es lo que te preocupa. Ya lo he superado.

Él lo había superado y ella no tenía ningún derecho a exigir un compromiso que ya había tirado por la borda hacía cuatro años. Mientras seguía indecisa frente a él, Blaize levantó una mano para acariciarle la barbilla.

–¿Sorrel?

Ella lo miró y vio el deseo pintado en sus ojos. Mantuvo una actitud pasiva mientras él inclinaba lentamente la cabeza, para darle la oportunidad de rechazarlo. Sin embargo, ella separó los labios involuntariamente y al instante siguiente, la boca de él se posó sobre la suya, tierna, interrogativa y erótica. Él agarró su cabeza con ambas manos, como si se tratara de una joya preciosa, y aumentó la intensidad del beso, que se volvió más apasionado y exigente.

Sorrel se dejó llevar por la pasión y arqueó su cuerpo, frotándolo contra el de él. El mundo empezó a desdibujarse a su alrededor y todo su organismo tembló de emoción y lujuria, mientras rodeaba con fuerza el musculoso torso de su amante.

–¿Debo entender que me aceptas? –preguntó Blaize.

Él parecía estarle dando una última oportunidad para decidirse. Estaba tenso, a la espera, mientras ella luchaba contra la mera necesidad física para aclarar sus ideas. En aquel momento podría estarse jugando su futuro, su corazón, su autoestima y… su vida.

–Sí –respondió ella al fin.

Él respiró profundamente, con alivio, y volvió a besarla con intensidad y prolongada pasión. Al terminar, la tomó en brazos y se internó en la casa hasta llegar al dormitorio.

–Ah. Al final has comprado una cama grande –se congratuló.

–No para ti –contraatacó Sorrel débilmente.

Blaize cerró la puerta de una patada, se acercó a la cama y la dejó resbalar hasta que ella se sostuvo en pie.

–Para nadie más –masculló él, apartando la colcha y poniéndose a desabrochar los botones de la blusa de Sorrel con maestría.

Se la quitó y observó con admiración los pechos cubiertos por un mínimo sujetador de encaje de color café. Acercó la mano a uno de ellos y lo acarició, deteniéndose intencionadamente en el pezón, mientras observaba cómo el rostro de ella se sonrojaba y su respiración se aceleraba. Sorrel se agarró instintivamente a la nuca de él, buscando otro beso. Blaize recorrió su cuello con la lengua, antes de llegar hasta su boca, consiguiendo así que ella vibrara de impaciencia y se estremeciera de placer.

Pero ambos deseaban llegar más allá, y él le quitó el resto de la ropa, que quedó tirada por el suelo. Luego, volvió a levantarla en brazos y la depositó sobre la cama. A continuación se quitó la camisa y los pantalones, mostrando una potente erección debajo de los calzoncillos que dejó a Sorrel muda de asombro. Blaize terminó de desnudarse y se acomodó junto a ella, las cabezas de ambos sobre la almohada.

—No es la primera vez que lo haces, ¿verdad?

—No —admitió ella, deseando que no fuera cierto. La mirada de él se oscureció con resentimiento, pero volvió a besarla con pasión—. No pretenderías que me mantuviese virgen para siempre, ¿verdad?

—¿Cuántas veces?

—Eso no es asunto tuyo —repuso ella, pensando que habría preferido no perder su virginidad a la ligera con un hombre amable y simpático, pero que no había significado nada en su vida. Luego, había mantenido una relación más duradera con otro hombre, pero nunca había sido capaz de deshacerse de la imagen de Blaize.

—No tendrías que haberlo hecho; eras mía.

Su arrogancia parecía no tener límites, pensó Sorrel, admitiendo, sin embargo, que la inesperada declaración de posesión le había alegrado el corazón.

—Tú tampoco. ¿Con cuántas mujeres te has acostado?

–Te pido disculpas –dijo él, acariciando sus pechos desnudos y pellizcándole los pezones.

Después se movió hasta acoplar su cuerpo con el de ella, entrelazando las piernas y succionando sus pezones con la boca. Sorrel tuvo un primer orgasmo, agarrándose a él y musitando su nombre. Él lanzó una exclamación de asombro y luego la besó en la boca, abrazándola con fuerza hasta que ella recuperó la calma.

–Lo siento –dijo Sorrel.

–¿Lo sientes? –preguntó Blaize, incorporándose ligeramente para mirarla a los ojos con expresión ardiente–. Ha sido tan excitante que he estado a punto de alcanzar el clímax yo también –confesó, introduciendo su miembro viril en la oquedad genital de ella para eyacular casi al instante con un hondo gemido de satisfacción y triunfo. Sorrel se estremeció de nuevo en sucesivas oleadas de placer y ambos rodaron juntos sobre la cama.

Al cabo de unos segundos, Blaize preguntó:

–¿Repetimos?

Ella dio su consentimiento con la cabeza y abrió las piernas, dispuesta a recibirlo de nuevo. En esa ocasión, hicieron el amor con más calma, sintiendo ambos el placer de cada embestida, de cada beso, de cada caricia… hasta alcanzar la cima del placer al unísono. Se durmieron abrazados, unidos por una similar sensación de triunfo frente a la adversidad.

Capítulo 10

S E HABÍAN convertido en amantes. Su relación física se fue haciendo habitual, aunque nunca carecía de pasión ni de la estremecedora sensación de deseo previa a cada encuentro.

Blaize se presentaba en casa de Sorrel todos los sábados para segar el césped, y después solían cenar juntos en algún restaurante, antes de retirarse al apartamento de él o al de ella para hacer el amor apasionadamente, aunque no solo se acostaban juntos durante los fines de semana.

Los padres de ambos acabaron por darse cuenta de la situación y Rhoda comentó:

–No sé que es lo que esperas de Blaize, Sorrel.

–Nada –contestó ella–. No hemos hecho planes de ningún tipo.

Rhoda le dirigió una mirada escéptica y reprobadora

Aunque a Sorrel solo le interesaba vivir el día a día, en el fondo de su mente temía que llegara el momento en que Blaize se aburriera de la novedad de estar con ella y diera por terminado el asunto. Sin embargo, se obligó a recordar que no solo estaban compartiendo una aventura, sino que siempre seguirían unidos por infinidad de recuerdos.

Por otro lado, estaba convencida de que apenas estaban empezando a conocerse. Muchas noches, después de haber hecho el amor, charlaban en la cama durante horas sobre sus pensamientos, ideas y opiniones, abarcando todos los temas, desde la marcha de sus respectivos negocios hasta cuántas veces habría que regar la nueva planta que había comprado Sorrel. De lo único que no estaban dispuestos a hablar era de su propia relación, de lo que sentían, del camino que tomaba, de cuánto duraría.

Era domingo por la mañana y Sorrel y Blaize disfrutaban de un desayuno tardío bajo el emparrado del patio.

–Nos han invitado a una fiesta –dijo ella.

–¿Quién? –preguntó él dejando la taza sobre la mesa.

–Elena y Cam. Van a cumplir seis meses de matrimonio y quieren celebrarlo con los amigos.

Elena había dado por supuesto que a ambos les gustaría asistir como pareja. Todos sus íntimos sabían que estaban en plena aventura amorosa, aunque no vivieran juntos.

–Supongo que merece la pena celebrarse. Hay matrimonios que duran menos.

–Sé que el matrimonio de Elena será para toda la vida –puntualizó Sorrel.

–¿Cómo estás tan segura?

–Se aman, pero no es solo eso; además son amigos.

–Nosotros también lo somos.

–Cam adora a Elena –dijo Sorrel mordisqueando una tostada.

Él se mantuvo en silencio sin moverse y luego cuadró los hombros.

–¿Deseas que te adore?

–No, por supuesto que no.

–Entonces… ¿qué quieres?

–Quiero un amor verdadero, diario y eterno.

–Pensé que eso era lo que te estaba ofreciendo cuando te regalé el anillo de compromiso.

–En aquella época tú no me amabas…., como yo te amaba a ti.

Se produjo un silencio apenas matizado por el sonido de las hojas de parra, agitadas por la brisa.

–¿Cómo me amabas exactamente, Sorrel? –preguntó finalmente Blaize, escrutando el rostro de su amante con gran seriedad.

Ella se dio cuenta de que acababa de meterse en arenas movedizas y se puso instantáneamente de pie.

–¡Vete al infierno! –dijo, dispuesta a no desnudar su alma ante un posible depredador.

–¿Cómo me amabas exactamente, Sorrel? –repitió Blaize–. ¿Pensabas en mí cada noche antes de dormirte? ¿Soñabas conmigo al cerrar los ojos? ¿Fantaseabas con hacer el amor conmigo? ¿Con tener hijos? ¿Con envejecer junto a mi?

–¡Sí! –exclamó ella, padeciendo por el dolor de los últimos años. Si él ya conocía tan bien los secretos de su corazón… ¿para qué molestarse en negarlo?–. Sí –repitió, mirándolo con lágrimas en los ojos–. Pero te odio. ¿Por qué me haces esto?

¿Estaría Blaize vengándose de ella por fin, tal y como era de esperar? ¿Esperaba que ella se arrodillara para suplicar un poco de amor? ¿Deseaba humillarla?

–Porque eso es lo que yo siento por ti –dijo él, dejándola muda de asombro.

–¿Qué?

Él la miró con una expresión profunda y oscura.

–Te amo. Te amo de todas las formas posibles. He estado luchando contra ello desde que te vi en la boda de Elena y Cam, tratando de convencerme de que mis sentimientos por ti eran solo una simple obsesión del pasado. Incluso creí que si hacía el amor contigo, la sensación de querer tenerte cerca a toda costa desaparecería. Pero cada vez que te tomo en brazos, siento que mi amor es más fuerte y duradero. Sé que esta vez no podría dejarte marchar.

–Nunca me has hablado de amor, solo de sexo.

–¿Pensabas que sería tan insensato como para exponerme a que volvieras a rechazarme?

–Pero… ¡Cuando te rechacé no sentías lo mismo que ahora!

–Es verdad que hace cuatro años no me molesté en demostrártelo. Di demasiadas cosas por supuestas –confesó él frunciendo el ceño–. Pero yo sabía que te amaba, que quería pasar el resto de mi vida junto a ti. Quizá no debí mostrarme tan cuidadosa mientras estábamos prometidos.

–¿Cuidadoso?

–Me había acostumbrado a reprimir mis instintos con respecto a ti y, sabiendo que eras virgen, me propuse no acelerar las cosas para no hacerte daño. Una vez casados, hubiéramos podido disponer de todo el tiempo del mundo y yo quería que tu primera vez fuera perfecta.

Sorrel lo miró, conmovida y furiosa al mismo tiempo.

–¡Yo no era ninguna frágil florecilla de invernadero!

–Puede que no seas consciente, pero así era como te había tratado todo el mundo hasta entonces. Yo siempre he procurado protegerte, incluso de mis propios impulsos. Y pienso seguir haciéndolo, por siempre jamás –dijo con voz ronca–. Cuando me abandonaste, me quedé destrozado. Mi corazón sangraba de pena y mi vida parecía carecer de sentido. Solo deseaba quedarme a solas y aullar a la luna, pero había tantas cosas que hacer, tantos asuntos que cancelar, tantas explicaciones que dar, que opté por concentrarme en una actividad frenética para olvidar lo sucedido. No quería analizar nada. Me temo que tenía miedo de descubrir qué tenía yo que fuera tan repugnante como para que me rechazaras de forma tan tajante.

–¡Nunca he pensado que fueras repugnante!

–Es posible, pero yo solo pude darme cuenta de ello cuando regresaste y noté que existía una química muy fuerte entre nosotros. Entonces, me asusté. Tenía que pensar en Cherie. En realidad estaba casi decidido a casarme con ella. Tu llegada dio al traste con el futuro que había planeado y sumergió mi vida en un auténtico caos… por segunda vez. Y me puse furioso.

–Lo sé.

–Sabía que tú no tenías la culpa, pero todo mi organismo estaba fuera de control.

–El mío también.

–No me das ninguna pena –ella le golpeó un hombro con el puño y él sonrió–. A pesar de que, nada más verte, supe que había estado enamorado de ti toda la vida; intenté convencerme de que si me acostaba contigo dejarías de tener poder sobre mí.

–Yo no quiero tener poder sobre ti.

–Lo tienes, te guste o no. Tienes el poder de convertirme en un dios o en un mendigo. Si no te casas conmigo ya, tendré que pasarme la vida sentado en la puerta trasera de tu casa para comerme los mendrugos de pan que tú tires a la basura.

Ella no lo creyó. Supuso más bien que si se resistía, la agarraría por los pelos para llevarla ante un altar. Pero había sido muy gratificante oírlo hablar con humildad por primera vez.

–Me casaré contigo –dijo Sorrel. Era lo que más deseaba en el mundo.

Él cerró los ojos con un gran suspiro de alivio y luego giró la cabeza para besarla y acariciarla, hasta que ambos se encontraron en un mundo propio, lleno de sensaciones placenteras.

–Esta vez –musitó él–, no te daré la oportunidad de arrepentirte.

Se casaron tres semanas más tarde, en una sencilla ceremonia celebrada en el jardín de los padres de Sorrel, con la familia y media docena de amigos.

Ella había invitado a Poppy, que apareció con un sombrero más grande que la minifalda escarlata que llevaba, adornado con unas amapolas enormes.

–Parece que se ha propuesto eclipsar a la novia –comentó Sorrel de buen humor, recién casada y agarrada firmemente de la mano de su marido.

–En absoluto –dijo Blaize, admirando su elegante vestido de tafetán azul hielo, rematado por una corona de nomeolvides–. Estás preciosa. Nadie puede negar la belleza de mi esposa … Mía, al fin –añadió, apretándole aún más la mano–. ¿Te arrepientes de haberte casado conmigo?

–De ninguna manera. ¿Te temías que tampoco apareciera esta vez?

–No he podido dormir en toda la noche –dijo Blaize, antes de soltar una carcajada ante la cara afligida de ella–. No te preocupes; esta vez confiaba en que tu madre llevara las riendas del asunto. Pero he soñado que me abandonabas.

–Nunca lo haré. Estaré contigo hasta que la muerte nos separe.

Él se llevó la mano de ella a la boca y la besó.

–Ha merecido la pena esperar cuatro años y medio para oírtelo decir. No pienso volver a perderte de vista jamás.

Sorrel había detectado la mirada de alivio de Blaize cuando ella había iniciado su paseo hacia el altar bajo un arco de rosas. No había estado seguro de que ella aparecería hasta el último momento.

Se puso de puntillas y lo besó.

–Ahora que ya estamos casados, no tendrás motivo de queja.

Él la abrazó y la besó.

–Si tú eres feliz, yo también lo soy. Y te prometo que vamos a seguir siéndolo hasta el final de nuestros días.

–Estoy impaciente por ver cómo te las arreglas para cumplir esa promesa –contestó Sorrel con una pizca de malicia–. Pero ahora tenemos una boda que celebrar. Ven, saludemos a los invitados –añadió, tomándolo de la mano para introducirlo en la casa.

Ambos rieron de felicidad cuando fueron recibidos con una lluvia de pétalos de rosa, que borró para siempre los recuerdos de aquella boda que jamás llegó a celebrarse.

JAZMIN

CATHIE LINZ
La misión perfecta

Había llegado la hora de que aquel seductor empedernido pagara sus deudas...

La periodista Cassandra Jones, después de su cambio de imagen, era la mujer perfecta para aquella misión.

Aunque también era cierto que pasar toda una semana pegada a aquel guapo y encantador héroe no iba a ser ninguna delicia para ella. Estaba claro que el sexy Sam Wilder no perdería un minuto con Cassie, una apocada morenita con gafas... Sin embargo, se convirtió en todo un caballero para la explosiva rubia Cassandra. El problema era que, cuanto más se acercaba Sam, más lo deseaba Cassie y menos fuerzas tenía para contenerse.

¿Sería cierto que los hombres las preferían rubias... o habría algo más profundo que eso?

¿Podría ser ese el caballero que curara las heridas del corazón de Cassie... y le enseñara a amar de nuevo?

Nº 5-89

¡YA EN TU PUNTO DE VENTA!

¡Atención lectora!

A partir del próximo mes de agosto la colección SUPERJAZMÍN se llamará SENSACIONES. Son tus historias de amor, pasión y emoción de siempre, pero queremos darle un aire nuevo al diseño para que se acerque cada día más a TI.

Recuerda, SENSACIONES te espera en tu punto de venta habitual.

Julia ®

Skyler Kimball había conseguido mantenerse alejada de los hombres peligrosos durante toda su vida, incluso agradecía que sus hermanos la protegieran. Pero cuando el sexy bombero Jack Tesson se mudó a la ciudad, Skyler se dio cuenta de que iba a tener que cambiar sus normas y darle una oportunidad a aquel tipo... claro que antes tenía que hablar con sus hermanos seriamente.

WENDY ETHERINGTON

Un amor inevitable

¿Solo los tontos se enamoran?

N° 4-91

¡YA EN TU PUNTO DE VENTA!

Deseo ®

ATRACCIÓN INSTANTÁNEA

Jacquie D'Alessandro

N° 5-35

Lexie Webster necesitaba una aventura... y pronto. No buscaba una relación, no después de su ex prometido; pero eso no significaba que tuviera que vivir como una monja. Cosa imposible después de los impuros pensamientos que le estaba provocando su nuevo cliente Josh Maynard.

Josh Maynard iba a seguir su viejo sueño de aprender a navegar, pero no sabía si lo iba a conseguir con aquella instructora, porque estaba claro que Lexie Webster tenía sus propios planes... que consistían en seducirlo fuera como fuera. Y él no tenía ningún problema en seguir las órdenes de su maestra...

En busca de algo salvaje

¡YA EN TU PUNTO DE VENTA!